E D I T

VON DER LUS … EDEN

Autoren
und Fotografen
dieses Heftes:

ALEXANDER SMOLTCZYK fand eine Welt der unbegrenzten Möglichkeiten: Er porträtiert die bienenfleißigen Saigoner Millionäre (S. 36)

WINFRIED SCHARLAU ist von Vietnam nie losgekommen: Seit seiner Korrespondentenzeit analysiert er den Krieg (S. 116)

BREYTEN BREYTENBACH lernte das Land auf einer Zugreise von Hanoi nach Saigon kennen und lieben (S. 32)

NGUYEN-LOAN BROSSMER litt beim Schreiben: Er erzählt von sich und dem Schicksal seiner Familie im Nachkriegsvietnam (S. 46)

MATHIAS GREFFRATH gelangte auf den Spuren Ho Chi Minhs bis an die Grenze zu China. Und fand nie einen Heiligen (S. 78)

ROBERT VAN DER HILST fotografiert mit Vorliebe fremde Länder: Für MERIAN bereiste er halb Vietnam (S. 36, 66)

Liebe Leserin, lieber Leser!

Vietnam, das ist für viele aus der Altersgruppe der Vierzig- und Fünfzigjährigen Synonym für einen sinnlosen Krieg und den dadurch ausgelösten, auf den Straßen und in den Universitäten ausgetragenen großen Generationenkonflikt der sechziger und siebziger Jahre. Für die jüngere Generation, die Kinder der „68er“, ist das Thema Vietnam indessen meist nicht viel mehr als ein Leinwandmythos voller Helden im Einsatz für eine fragwürdige Politik. Mehr als drei Millionen Vietnamesen verloren in ihrem Kampf gegen die US-Armee und ihre südvietnamesischen Verbündeten ihr Leben, auf amerikanischer Seite gab es 58 000 Tote und Vermißte. Vietnam, Laos, Kambodscha, das vormalige koloniale Indochina, ist den meisten zwar ein Begriff, doch nur wenige kennen diese Länder wirklich, die nach dem Ende des Krieges im Jahre 1975 eine sehr unterschiedliche Entwicklung durchgemacht haben. Kambodscha fand auch in den Jahrzehnten danach keine innere Ruhe. Laos, das unser Reporterteam auf seiner abenteuerlichen Reise als atemraubend schönes, gleichwohl noch von den Narben des Krieges gezeichnetes Land erlebte, scheint in einem archaischen Zustand zu verharren. Vietnam aber ist auf dem besten Wege, den Widerspruch zwischen Kommunismus und Marktwirtschaft auf ganz pragmatische Weise aufzuheben – und zwar dergestalt, daß hier nun jeder reich werden darf. Für die MERIAN-Redaktion war es ein langgehegter Wunsch und eine große Herausforderung, Ihnen diese Weltgegend vorzustellen. Unsere Autoren und Fotografen, die dort in den vergangenen Monaten unterwegs waren, erlagen allesamt der Dynamik der Städte, der verzaubernden Anmut der Landschaften und dem Charme der Menschen, die ein „fast fiebriges Bedürfnis zeigen“, die Vergangenheit hinter sich zu bringen. Wir hoffen, daß sich diese Faszination auf Sie überträgt.

Lange Zeit wurden Vietnam, Laos und Kambodscha unter dem Begriff „Indochina“ subsumiert. Doch diese drei Länder waren nie eine Einheit, jedes hat eine vielfältige, ausgeprägt eigenständige Kultur und Geschichte

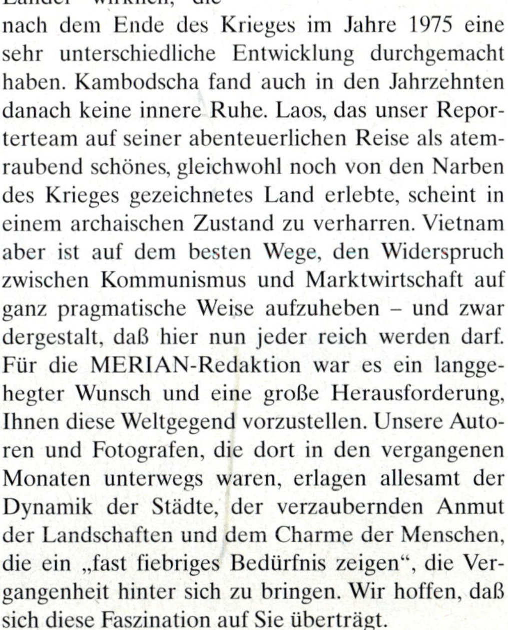

Ihr

Volker Skierka

Vietnams junge Generation – skeptisch, doch offen für alles Neue. Titelbild von Guido Alberto Rossi

INHALT

Kriegsleid: Bittere Trennung **46**

Eine neue Tierart: Waldoryx-Antilope **96**

Reichtum der Armut: das Essen **66**

AUF EINEN BLICK

WIE WO WAS

HO-CHI-MINH

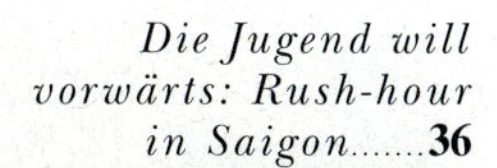

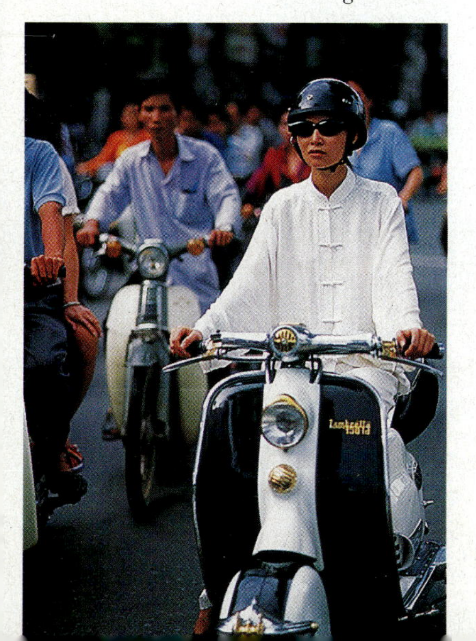

Corso

„Die Verzauberung ging zunächst von den hochgewachsenen, eleganten Mädchen in ihren weißen Seidenanzügen aus, von dem silbriggrauen Licht, das abends auf den Reisfeldern lag, wo die Wasserbüffel mit ihrem langsamen, vorweltlichen Gang durch das fesseltiefe Wasser stapfen."

Graham Greene, englischer Romancier

Wasserbüffel sind unentbehrlich für den Reisanbau. Jede dieser kostbaren Zugmaschinen wird von einem Hütejungen bewacht

O Himmel! Erhöre mein Flehen! Schenke mir wohlwollenden Regen und sanften Wind, damit meine Reispflanzen im Felde gedeihen und all meine Wünsche in Erfüllung gehen.
Vietnamesisches Volkslied

Kleiner vietnamesischer Knigge

Hilfe, Götter!

1. Wie überall in Asien sind in Vietnam viele Menschen sehr abergläubisch. Sagen Sie beispielsweise nie angesichts eines Babys: „Das ist aber hübsch!" Da früher die Kindersterblichkeit hoch war, glaubt man, daß die Götter die schönsten zu sich holen. Sagen Sie also: „Das ist aber ein häßliches Mädchen!" – und lächeln dabei.
2. Verabreden Sie sich nie um zwölf Uhr – zu dieser Zeit, so der Glaube, häufen sich Unglücke. Setzen Sie Mittagstermine lieber auf 5 vor 12 oder 5 nach 12.
3. Die Farbe Weiß steht für Trauer. Aber: Enkelkinder tragen bei Begräbnissen Rot, Urenkel hingegen Gelb.
4. Am Ersten jeden Monats werden Räucherstäbchen angezündet. So weckt man die Verstorbenen und hat bis zur Monatsmitte Glück. Am 15. wird wieder „aufgefrischt", auf daß auch die dritte und vierte Woche gut werde.
5. Es ist ein schlechtes Omen, wenn man eine fremde schwangere Frau vor der Tür trifft. Also kehrt man um und verläßt ein zweites Mal das Haus – vielleicht ist sie ja inzwischen fort.
6. Essen Sie keine Eier vor einer Prüfung. Wer Eier ißt, wird nie mehr als null Punkte erreichen.
7. Seien Sie nicht böse, wenn man sich nach Ihrem Alter erkundigt (ohnehin ist Alter in Asien ein Zeichen von Weisheit): Dies geschieht nur, um Sie korrekt anzusprechen. Dabei gilt es, einem komplizierten „Anredesystem" zu folgen. Man siezt Freunde und Familienangehörige je nach Al-

Vietnamesen stehen sehr auf floralen Formulierungen: Verlangt es den Mann nach Sex, dann „geht er einen Baum kaufen"

Votivgaben im Tempel: Mit Früchten, Weihrauch und Kerzen werden die Götter gnädig gestimmt

ter und Position („älterer Bruder", „Onkel", „Kleine" und so weiter).
8. Drei Dinge benötigt der erfolgreiche Mann: ein französisches Haus, ein chinesisches Essen und eine japanische Frau.
9. Wenn eine schwangere Frau im Bett über den Bauch ihres Mannes steigt, so wird er scheinschwanger und entwickelt dieselben Eß-Gelüste wie sie. Hinter diesem Aberglauben, dem selbst moderne Vietnamesen anhängen, steckt die Bereitschaft, Leid gemeinsam zu tragen.
10. Wenn Männer und Frauen zusammensitzen, wird nie über Sex gesprochen – aber über Geld und Politik.
11. Vieles wird blumig umschrieben. Sagt ein Mann beispielsweise: „Ich gehe einen Baum kaufen", bedeutet das keineswegs, daß er Gärtner ist. Ihm ist einfach nur nach Sex zumute . . . und Gärtnerinnen der Liebe stehen auch in Vietnam auf der Straße.
12. Fotografieren Sie nicht wild um sich. Sie könnten Unglück anrichten: Die Zahl der auf dem Bild festgehaltenen Personen darf auf keinen Fall ungerade sein, weil sonst der in der Mitte Stehende früh sterben wird. Die Götter zielen stets auf den Mittleren.
14. (weil die 13 auch in Vietnam eine böse Zahl ist . . .). Vor einer Reise sollte man Räucherstäbchen anzünden. Das weckt die Verstorbenen auf, die vor Unglück schützen. NGUYEN-LOAN BROSSMER

Der Krieg als Ferienattraktion

VIETCONG-SPIEL

Vietnam ist nicht nur der Inbegriff asiatischer Fremdartigkeit, sondern sein wechselvolles Schicksal in diesem Jahrhundert ist zu einem festen Bestandteil der westlichen Mentalitätsgeschichte geworden. Kaum jemand in der Blüte seines Lebens, der nicht in seinen Lehr- und Bildungsjahren die Kampfparole „Ho, Ho, Ho Chi Minh" entweder vernommen oder gerufen hat. Anfang der Siebziger wurde Günter Grass' Roman „Örtlich betäubt" an den Oberstufen deutscher Gymnasien gelesen, wurde heftig über den Schüler Scherbaum diskutiert, der aus Protest gegen den amerikanischen Napalmeinsatz in Vietnam seinen geliebten Langhaardackel vor den Straßencafés des Kurfürstendamms verbrennen wollte. Wer etwas älter war, konnte in den herrlich linken Büchern studieren, wie gerecht und akkurat es in „Onkel Hos" nordvietnamesischen Kommunen zuging. Was die tapferen, kleinen gelben Männer gegen die Amerikaner im Fernen Osten unternahmen, war die Avantgarde des Protestes einer ganzen Generation.
Nun ist Vietnam wieder da, und obwohl die Mehrheit des Volkes dem entschwindenden Kommunismus keine Träne nachweint, hat die Mär vom tapferen Vietcong als touristisches Konzept überlebt. In den Tunneln von Cu Chi, fünfunddreißig Kilometer nordwestlich von Saigon, begegnet mancher Erlebnisreisende aus dem Westen den Phantasien seiner rebellischen Jugend: grazile Guerillafrauen stillen erst ihre Kinder und knacken dann amerikanische Panzer, und wenn der Feind gar zu übermächtig wird, zieht sich das kämpfende Volk unter die Erde zurück. Dort praktizieren Kader und Kämpfer unter dem Konterfei von Ho Chi Minh eine unterirdische Variante der asiatischen Demokratie: unerreichbar für Bomben und Granaten des westlichen Imperialismus teilen sie ihre karg gefüllten Reisschalen, leben und zeugen – und massakrieren jeden deutschen Schäferhund, der sie in den Tiefen ihres Refugiums bedroht.
Solcherart durch nachgestellte Filmszenen eingestimmt, werden die Besucher beim Rundgang mit einem kreativen Militärmarketing konfrontiert, für das der Krieg nur noch unter dem Aspekt

Der Strohhut ist ein höchst komplexes Gebilde: gefertigt aus Bambusringen, die mit Palmenblättern bezogen und miteinander vernäht werden. Er ist strapazierfähig und leicht. Dient als Sonnen- und Wetterschutz, Fächer und Einkaufskorb sowie als Gefäß, um Wasser zu schöpfen. Mädchen und Frauen können sich unter ihm vor unliebsamen Blicken verstecken. Oder kokett darunter hervorblinzeln

Damit Besucher in den Genuß des rechten Partisanengefühls kommen, wurden die Gänge von Cu Chi für dicke Touristen erweitert

WILLKOMMEN BEIM TET-FEST.

WILLKOMMEN IM LEBEN.

Deutschlands meiste Kreditkarte – bei allen Banken und Sparkassen.

Corso

seiner touristischen Verwertbarkeit figuriert. Wie bei einer Schnitzeljagd suchen die Besuchergruppen die getarnten Höhleneingänge im Bodenstaub und die vergifteten Bambusfallen und befingern verrostete Panzerwracks in malerischer Drapierung unterhalb neuerrichteter Wachtürme. Ein Wink des Guides, und schon kriechen willige Besucherscharen durch enge Tunnelröhren, die vorher auf westliche Proportionen erweitert wurden. Wem es jetzt noch nicht reicht, der kann im anschließenden Tretminen-Testgelände die Schritte bis zu seinem Ableben zählen: Stolperdraht berührt, Platzpatrone detoniert und ausgeschieden!

Das Tunnelsystem von Cu Chi bedarf der Erklärung. Nur ein Bruchstück des 200 Kilometer langen Ganges ist bis heute erhalten geblieben

Ein weiteres Mal von der Unbesiegbarkeit des Vietcong überzeugt, weil virtuell samt und sonders von Tretminen zerfetzt, trifft man sich am Ende des Rundgangs realiter zur Einnahme westlicher Drinks im Schatten der Erfrischungszelte. Auf Coca-Cola braucht da niemand zu verzichten. LUDWIG WITZANI

Einmal Westen und retour

DA LAT WORLD

Wenn der König so in seiner Schwanengondel unterhalb von Neuschwanstein dahinglitt, mag er sich zuweilen gedacht haben: „I kannt ja wieda amoi nunta fahn, nach Da Lat.“ Ludwig II. in Vietnam? Aber gewiß. Am Wochenende bewegen sich hier nämlich urlaubende Vietnamesen in überdimensionalen Plastikschwan-Tretbooten über einen künstlichen See. Ganz sicher: *seine* Spur.
Dem Kini hätte es bestimmt gefallen da heruntern. So wie den französischen Kolonialherren. Enerviert von Palmen und Strand, zauberten die Heimwehgeplagten um 1920 diese *petite France* in kühlen 1500 Metern Höhe aus dem Boden. Als sie dann endlich abzogen, hinterließen sie nicht nur Baguette und Leberpastete, sondern auch eine Reihe von Chalets, Prunkhotels und einen mittlerweile angerosteten Bahnhof. Die neue Elite kommt nicht mehr mit der Bahn, sondern per Bus. Sie kommt aus Saigon und hat sich in Da Lat ein Ferienparadies vietnamesischer Art gebastelt – multikulti, mit auserlesenen, fremden Federn. Da hat beispielsweise eine in Rußland geschulte Künstlerin auf der Suche nach Inspiration runtergeschaut nach Australien. Und das Känguruh für Da Lat entdeckt. Eins in Gips, zwei Meter hoch, das mit rotfunkelnden Augen vor dem Lotterbett des Crazy House steht. Das ist übrigens, anders als der Name suggeriert, keine Irrenanstalt, sondern ein Hotel: termitenhaufenartig und etwas wacklig und den Bauten des Spaniers Antonio Gaudí nicht unähnlich. Von den Amerikanern haben sich die Da Later auch einiges abgeschaut, nachdem sie die Soldaten endlich los waren: die Westernhelden. Deren östliche Variante hat eine rosa Weste mit vielen Fransen und ein Pony. Beide posieren gegen Dollar oder Dong als Fotodekoration. Der eigentliche Held dabei ist das Pony: Dem kitzeln die Petticoats der Wochenendlerinnen in den Lenden, und vom Parfum der Damen muß es niesen. Unsereins denkt an Bad Segeberg und weiß: Alle Menschen dieser Welt haben ein Recht auf Kitsch. Was den Meiers ihre Meer-Strand-Palmen-Fototapete, ist den Nguyens eben die Tulpenfeld-vor-Alpenkulisse-Wand. Auf Wunsch mit röhrendem Papphirsch, da schließt sich der Kreis.
Eine weitere Erkenntnis hat uns beglückt, als wir mit schaurig-schönem Gruseln den dritten Schnaps leerten, in dem eine tote Schlange eingelegt war: Exotik ist relativ. Ein Maßkrug ist ein Maßkrug ist ein Maßkrug? Mitnichten. Geschlagene drei Wochen tragen wir die landestypischen Dreieckshüte mit uns herum (die es übrigens auch in der Abflughalle gibt), müssen dann aber feststellen, daß der einheimische Tourist sich lieber eine Pelzmütze (russisch) über den Kopf stülpt. Anerkennenswert bei 20

Keine Hochzeit ohne ein arrangiertes Foto. Da Lat ist hierfür eine sehr beliebte Kulisse

Da Lat, errichtet auf luftigen Höhen, ist eine Gründung heimwehkranker Franzosen. Hierher flohen sie vor der Hitze Saigons

Grad im Schatten. Aber so was trägt *man* schließlich in der rauhen Bergwelt – und hängt es zu Hause neben das Cowboy-Pony-Foto. Auch auf dem kulinarischen Sektor tun sich Welten auf: Während wir uns also mit gezückten Stäbchen über *com* und *pho* (Reis und Suppe) in allen erdenklichen Varianten hermachen, laben sich die inländischen Touristen an Pizza und Erdbeerwein. Solchermaßen gestärkt, pilgern sie alsdann staunend zu Wasserfällen und Pinienwäldern. So sich die Chance bietet, schnappschießen sie dort hinterrücks Europäer, weil die doch so exotisch aussehen. CONSTANZE RHEINHOLZ

Kunst oder Kitsch? Das Crazy House-Hotel nennen die Vietnamesen bewundernd „Haus im Wald und Wald im Haus“

Die Crux mit der Phonetik

GEZWITSCHER

Das Vietnamesische ist die unlateinischste Sprache, die sich denken läßt; drückt sie doch alles und jedes *syntaktisch,* also durch bloße Verschiebungen *zwischen* den Wörtern aus, und nichts durch grammatikalische Regeln.
Wilhelm von Humboldt ordnete sie deshalb im Rahmen seines Viererschemas den „isolierenden“ Idiomen zu; kein Begriff freilich ruft abwegigere Vorstellungen hervor. Denn wie in der vietnamesischen Gesellschaft kommt es auch in ihrer Sprache nicht so sehr auf die Individuen als auf die Beziehungen *zwischen* ihnen an. Gerade weil die einzelnen Wörter so gar nichts aus sich machen und weder Konjugationen noch Deklinationen, weder Vergangenheit noch Zukunft und weder Singular noch Plural kennen, reagieren sie untereinander und aufeinander um so sublimer. Gehorchen kleinsten Umstellungen im Satzgefüge und zartesten Zäsuren. Sie sind nicht isoliert, sondern dicht miteinander verästelt.

In der vietnamesischen Sprache werden viele Wörter gleich geschrieben. Unterscheidungen entstehen erst durch die Aussprache: ca (Lied), cà (Tomate), cá (Fisch)

Die beiden satzbautechnischen Prinzipien sind die Subjekt-Prädikat-Objekt-Abfolge sowie die Faustregel, daß das Bestimmende dem Bestimmten *nach*geht, während es im Chinesischen und Japanischen umgekehrt ist. Der Satz „Ich lese das Buch des berühmten Autors“ heißt in der chinesischen Reihenfolge: „Ich lese des berühmten Autors Buch“, während der vietnamesische Satzbau andersherum verläuft: „Ich lese das Buch des Autors, der berühmt ist“.
Größte Klippe ist, daß viele Wörter gleich klingen und in einem Lautbrei versinken. Dagegen wehrt sich das Vietnamesische mit sechs (!) verschiedenen Tonhöhen und mit „Klassifikatoren“, die Gattungszusammenhänge herstellen, sowie mit dem Übergang von der Monosyllabität zur Mehrsilbigkeit.
Verwechslungsmöglichkeiten gibt es beim gesprochenen, nicht aber beim geschriebenen Wort. Drei Schreibvarianten haben einander im Laufe der Jahrhunderte abgelöst: Dem *chú nho* („Schrift des Konfuzianismus“), dem klassischen chinesischen Schriftsystem, das vom 2. vorchristlichen bis ins 19. Jahrhundert hinein als Amtssprache diente, folgte im 14. Jahrhundert die *chú nôm* („Schrift der Vietnamesen“), die graphisch im Gewand des chinesischen Blockzeichensystems daherkommt. Die wiederum ihre „Lauter“ nach der vietnamesischen Aussprache richtet, so daß hier am Ende Zusammensetzungen entstehen, wie sie im Chinesischen allenfalls mal als Ausnahme vorkommen.
Im frühen 17. Jahrhundert führten katholische Missionare die *quôc ngu* („Staatssprache“) ein, die lateinische Buchstaben verwendet, allerdings in eigenwilliger Form: von den 26 Buchstaben verzichtet sie auf vier (f, j, w, z), steuert aber zwei abgeänderte Buchstaben, ơ und ư, des weiteren zwei Betonungs-Zeichen ^ und ˘ sowie ein đ für das deutsche „d“ bei, das wie das englische „th“ aus-

Vorbild für den *ao dai* war das chinesische Gewand *xuom xam,* das die Vietnamesen um die Jahrhundertwende kopierten. Damals trugen ihn Mann wie Frau, geknöpft, in Farbe und Form ein Indiz für die soziale Stellung. 1930 verpaßte man ihm einen figurbetonten Schnitt, von da an ward er Frauensache. Die Mode-Revolte brachte 1950 den Raglanärmel. 1975 bis 1990 lag er in der Kiste sozialistischer Diskriminierung. Heute ist er wieder Vietnams schönstes Stück Mode

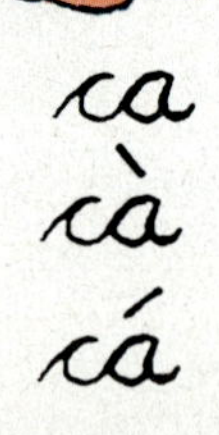

Auch die Franzosen zieht es heute wieder nach Vietnam. Ungeniert blitzt da bei der Inszenierung der Vergangenheit wieder alte Kolonialmentalität hervor

gesprochen wird. Dazu kommen dann noch fünf Tonzeichen; die häufigste von den insgesamt sechs Tonhöhen-Varianten bleibt allerdings unnotiert, etwa in der zweiten Silbe von „Vietnam", die sich wie ein durchnasaliertes „naaam" anhört.
Die *quôc ngu* wurde von den französischen Kolonialherren popularisiert und nach Abschaffung der konfuzianischen Staatsprüfungen im Jahre 1918 zum offiziellen Schriftsystem, das noch heute verwendet wird. OSKAR WEGGEL

Kaiser sein für zwanzig Dollar

GRANDE BOUFFE

Dumpf dröhnen die Trommelklänge der *Trong cai* durch die Finsternis. Im Zwielicht des Entrees ordnet sich der 24köpfige Hofstaat zum Aufmarsch für das große Bankett. Voran im Gelbseidenen mit Kopfschmuck und Bauchreif Kaiser und Kaiserin, dicht gefolgt von zwei Pagen mit großen Palmwedel-Fächern. Dann die Mandarine in Königsblau, deren Gemahlinnen in Rot. An der Spitze schreitet der Zeremonienmeister, der den Hofstaat samt Kamarilla in den Speisesaal führt, in eine rotgülden lackierte Chinoiserie. Hochrufe auf Seine Majestät: „Zehntausend Jahre lebe er." Wieder drei dumpfe Schläge, ein heller Gongklang, die achtköpfige *Kaoe*-Musikgruppe setzt ein, eine schneewittchenschöne Sängerin gewandet im weißen *Ao dai,* das ebenholzschwarze Haar von gleißend goldenem Reifen gehalten, trägt mit hoher Stimme ein Lied über die Liebe vor.
Und dann das: Man steht auf, kramt unter dem Gelbseidenen, zerrt hier einen Camcorder hervor, dort eine Kompaktkamera aus dem Brustbeutel, läßt die Poenix-Suppe kalt werden, filmt, knipst. „Bitte mal hierher gucken". Cola-Dosen zischen, Turnschuhe blitzen. Selbst Kaiser und Kaiserin verlieren die Contenance – Jacques und Christine Fossay aus Reims wollen schließlich auch mit aufs Gruppenfoto. Die Grande Nation ist heimgekehrt nach *Indochine.* In wohlorganisierten Grüppchen und sentimentaler Kolonialnostalgie bereisen die Franzosen wieder *ihr* Vietnam. Hier sprechen die Alten noch immer Französisch, zum Frühstück serviert man Baguette mit Erdbeermarmelade, zum Dessert Crème caramel. Doch die Geliebte von ehedem ist untreu geworden. Sie mag ihren alten Herrn nicht mehr, Französisch ist für Vietnamesen die Sprache der Unterdrücker: So wie sie es heute wieder im Hotel Century zu Hue tun, haben die Franzosen noch 1954 feudal in Dien Bien Phu getafelt, kurz bevor die Jahrhundertschlacht und also ihre reichste Kolonie verlorenging.
Zum Abschluß des „Royal Banquet" (acht Gänge für 20 US-Dollar inklusive Musik plus Verkleidung) nimmt die Tafelrunde noch einmal Haltung an: wie in alten Zeiten erschallt der Toast „Vive la Colonie". CHARLOTTE V. SAURMA

Beim „Royal Banquet" in Hue geht es zu wie einst bei Hofe. Mit Camcorder wird daraus ein allerschönstes Urlaubserlebnis

Als das Revoltieren noch geholfen hat

ROSENSIEG

Frühjahr 1975, Saigon ist befreit. Der Krieg ist aus! – Kaum daß wir die Nachricht hören, stürmen wir los in den erstbesten Pariser Blumenladen, um Rosen zu kaufen, einen großen Strauß roter Rosen. Wo ist ein Telefon? Die Adresse: Botschaft der Provisorischen Revolutionsregierung Süd-Vietnams. Wir stürzen in die nächste Metro, finden das Haus in einem gutbürgerlichen Viertel im Westen der Stadt. Klingeln – und sehen uns fragend an: Was machen wir hier? Die Tür geht auf – so stehen wir nun mit unseren roten Rosen und roten Köpfen und radebrechen auf französisch unsere herzlichen

Emblem aller Embleme ist das konfuzianische Zeichen für „Glück, Wohlstand, Söhne und langes Leben". Jedermann darf es nutzen, und überall ist es jetzt wieder zu sehen: als Design für Dachziegel, Stühle, Teppiche, Buchdeckel

Während eines Studentenprozesses im Sommer 1967 in Berlin fragte der Richter einen Angeklagten: „Meinen Sie denn, daß Sie dadurch, daß Sie hier demonstrieren, in Vietnam etwas ändern?" Darauf der Angeklagte: „Nein, aber hier!"

Corso

Das vereinte kommunistische Vietnam: 1975 erntete auch Deutschlands politische Linke die Früchte ihrer Agitation. Doch konfrontiert mit Not, Massenflucht und Umerziehungslagern fand die Utopie bald ein Ende

Glückwünsche. Man empfängt uns freundlich, wir überreichen die Rosen, es gibt Tee. Warten. Schließlich erscheint ein Diplomat, höflich lächelnd hört er sich unsere Glückwünsche an. Wir sind drei deutsche Achtundsechziger, und ich verweise auf meine Rolle als Sprecher der Studentenbewegung. Der Diplomat dankt für die Blumen, für die Unterstützung des Befreiungskampfes in Vietnam und betont, daß jetzt alles für den Wiederaufbau des Landes getan werden müsse. Wir versprechen, nach Möglichkeit Hilfe zu organisieren. Draußen atmen wir erleichtert durch.

Damals, 1975, fühlten auch wir uns als Sieger. Endlich! Dieser Sieg gab uns nachträglich recht, widerrief das Scheitern der Revolte im eigenen Land – ein glücklicher Augenblick. Doch schon in der Pariser Botschaft hatten wir uns verklemmt, unfrei, fremd gefühlt.

Die Geschichte mit den Rosen hatte ein diplomatisches Nachspiel. Ein paar Wochen später saß ich wieder in jener Botschaft zu Paris, diesmal mit einem inoffiziellen Abgesandten der SPD, der damaligen Regierungspartei. Wieder wurden wir freundlich empfangen. Sondiert wurden nun die Möglichkeiten diplomatischer Anerkennung und materieller Wiederaufbauhilfe. FRANK WOLFF

Wir haben uns geirrt, furchtbar geirrt… …Wie sollten wir etwas wissen, wenn wir uns in einer fremden Umgebung, an der Seite eines Volkes bewegten, dessen Sprache und Kultur wir nicht verstanden und dessen Geschichte sich ebenso grundsätzlich von der unseren unterschied wie dessen Werte und politische Traditionen?“
Robert McNamara, ehemaliger US-Verteidigungsminister, 1995 in seinen Memoiren

Alles für'n Victor Hugo

KONFUSIANIMUS

Am 13. Tag im 10. Monat des Mondkalenders wird der Todestag des Papstes gefeiert. Nein, nicht der des Oberhauptes der katholischen Kirche, sondern des Le Van Trung, Ex-Lebemanns aus Cholon, bis 1934 Kopf der Cao-Dai-Sekte. Deren Heiliger Stuhl steht in Tay Ninh, 80 Kilometer nordwestlich von Saigon. Gleich einer Fata Morgana thront er in dieser wüsten Gegend – außen Dom nach abendländischem Strickmuster, innen eine Explosion cremefarbener Symbolismen: Drachen winden sich um die doppelte Zwölferreihe der Säulen, von der himmelblauen Decke herab glitzern Sterne aus Spiegelglas. Der Fußboden steigt in neun Stufen zum Altar hin an, die den neun Rängen der höchsten Würdenträger entsprechen. Im Altarraum, gleich hinter dem Papststuhl (z. Zt. verwaist) wacht das „Auge, das alles sieht“.

Der Caodaismus ist die erfolgreichste synkretische Lehre Vietnams, die wichtigste der einst vielen des Südens. Sie vereint Glaubensrichtungen und Philosophien, die einander anderswo auf der Welt ausschließen würden. Ein bißchen Konfuzianismus, Taoismus, Christentum und Spiritismus (unter anderen) – und von allem das Beste. Und jeder darf mitmachen, ihre (unfreiwilligen) Heiligen sind Sun Yatsen, erster Präsident der chinesischen Republik, Victor Hugo und Nguyen Binh Khiem, vietnamesischer Dichter aus dem 16. Jahrhundert. Victor Hugo ist übrigens Herr der überseeischen Mission, zuständig für Sektenmitglieder in Frankreich und in Amerika. Der allmächtige (Augen-)Gott äußert sich in Séancen, bei denen Medien seine Botschaften mit einer kalligraphischen Feder notieren. Außer buddhistischen Bodhisattvas, vietnamesischen Heiligen und taoistischen Geistern haben sich auch schon Jeanne d'Arc, Louis Pasteur und der Politiker Aristide Briand offenbart – von Shakespeare hat man leider seit 1935 nichts mehr gehört. Graham Greene soll einen Beitritt erwogen haben.

Von cinemaskopischer Farbigkeit sind Kleidung und Architektur der Caodaisten. Auch oder gerade deswegen fasziniert die Sekte so viele

Für die Bevölkerung der Provinz Tay Ninh bot die Sekte in den Wirren der Indochinakriege soziale und politische Integration. Zwei Millionen Gläubige gehörten ihr an, gestärkt von einer 25 000 Mann großen Privatarmee, die mal mit dem Vietminh taktierte, mal mit Kaiser Bao Dai, mal mit Frankreich, mal mit den Amerikanern – im Kampf gegen den Vietcong subventionierte die CIA die Sekte mit Millionenbeträgen.

Heute haben die Caodaisten keine Zeit mehr für Politik, viermal am Tag ist Gebet. Und keine Macht mehr – man hat sich zu arrangieren. SABINE BROCKOB

NACH MIR KOMMT NICHT DIE SINTFLUT

Wenn die besten Jahre des Lebens kommen, gehen viele Wünsche in Erfüllung. Jetzt hat man mehr Zeit für sich und die Familie, für Hobbys und Reisen. Und endlich kann man sich in Ruhe darum kümmern, was später mal wird.

Ist das auch für Sie ein Thema? Dann fragen Sie in Ihrer Sparkasse nach der Broschüre »Erben und Vererben«.

In den unmittelbaren finanziellen Fragen hilft Ihnen Ihr Geldberater. Er kann einen gewichtigen Teil dazu beitragen, daß Sie jetzt die richtigen Entscheidungen treffen.

Denken Sie also in Ruhe mit ihm über die Regelung Ihrer Finanzen nach. Damit Sie Ihre schönsten Jahre unbeschwert genießen können.

wenn's um Geld geht – Sparkasse

Unternehmen der Finanzgruppe

Robert v.d Hilst

Good morning Vietnam

Vorwärts, nur nicht zurückschauen auf Hunger und Krieg! Das Leben ist wieder da und das Lachen in diesem Land voller Frohsinn, Liebreiz und Optimismus

■ *Familienausflug bei Da Lat: Das Motorrad ist Vehikel für alles – und das Symbol für den Aufschwung* ■ *Fährboote bei Chua Huong: Bizarre Felsen säumen den Weg zur berühmten Duftpagode*

■ *Reisfelder nahe Da Nang: die Anbaubedingungen sind ideal, die Ernteerträge hoch, doch die Arbeit ist beschwerlich wie schon vor tausend Jahren*

Ohne Fleiß kein Reis

Guido Alberto Rossi

Steve Raymer

Was Hänschen nicht lernt...

■ *Mutter mit Baby-Korb in Non Nuoc: Später sollen die Kinder die Eltern versorgen. Doch Arbeitsstellen sind rar*

■ *Dorfschule bei Hoi An: Das in lateinischer Schrift geschriebene Vietnamesisch sieht einfach aus, ist aber schwer zu sprechen. Erst im Unterricht lernen es die Grundschüler fehlerfrei*

■ *Siesta in Quang Tri: eine Stadt an der Zentralküste mit nur schwacher Infrastruktur*

Chris Sattlberger

Kein Laut der aufgeregten Zeit

Terrasse der Thien-Mu-Pagode oberhalb des „Wohlriechenden Flusses", Hue: Flußaufwärts ist die Umgebung der alten Kaiserstadt von ruhiger Schönheit und Anmut

Wolfgang Bellwinkel

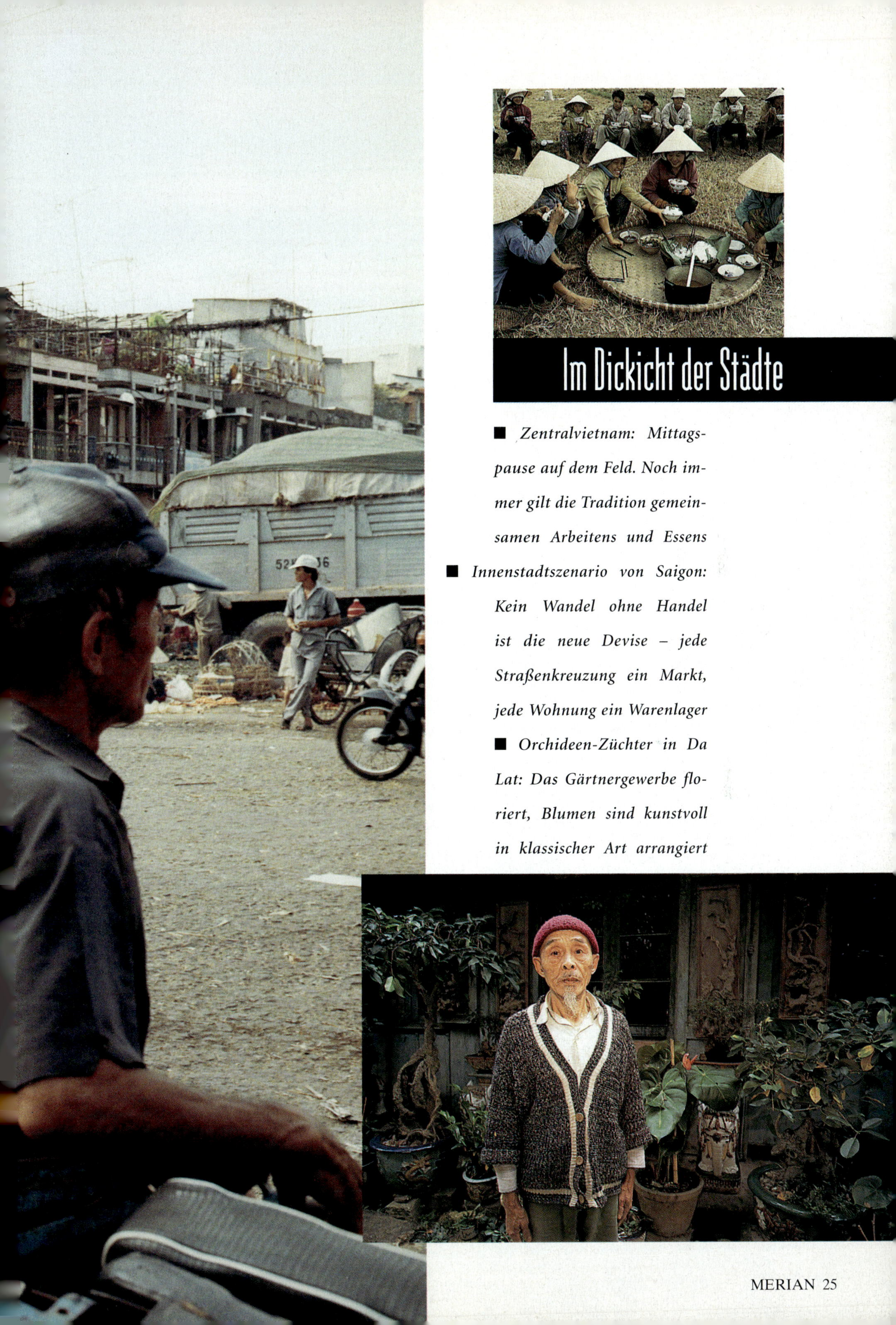

Im Dickicht der Städte

■ *Zentralvietnam: Mittagspause auf dem Feld. Noch immer gilt die Tradition gemeinsamen Arbeitens und Essens* ■ *Innenstadtszenario von Saigon: Kein Wandel ohne Handel ist die neue Devise – jede Straßenkreuzung ein Markt, jede Wohnung ein Warenlager* ■ *Orchideen-Züchter in Da Lat: Das Gärtnergewerbe floriert, Blumen sind kunstvoll in klassischer Art arrangiert*

Geoffrey Clifford

Über dem Fluß und in den Wäldern

■ *Reisstroh-Ernte bei Khe Sanh: Zwei Drittel Vietnams sind fast unzugängliches Bergland. Dennoch frißt sich die intensive Landwirtschaft immer höher hinauf*

Trau keinem über dreißig

■ *Salzgärten in der Provinz Khanh Hoa: Bei Cam Ranh verdunstet Meerwasser und wird als Kochsalz „geerntet“*

■ *Pause auf einem Parkplatz zwischen Hue und Da Nang: Die Jugend bricht aus, bricht mit Traditionen. Nicht einmal der Regen auf dem Wolkenpaß kann ihre Unternehmungslust bremsen*

■ *Fischer bei Da Nang: Mit Mut und in winzigen Körben* (thung chai) *aufs offene Meer*

Robert v. d. Hilst

Bunte Stadt am bunten Meer

■ *Fischereihafen von Nha Trang: Wo der Cai-Fluß ins Südchinesische Meer mündet, liegt der schönste Ankerplatz des Landes. Spezialität sind Hummer sowie Abalonen*

Wolfgang Hellige

Die Entdeckung der Anmut

■ *Mit dem „Wiedervereinigungs-Express" von Hanoi nach Saigon.* ■ *Von Breyten Breytenbach*

Riecht Hanoi wirklich gut, trotz des blauen Nebels aus Tausenden Mofas, die die Straßen verstopfen? Ich erinnere mich an die freundliche Sanftheit der Menschen, das frische Essen, feiner und vielfältiger im Geschmack, als Zunge und Mund je für möglich hielten; an die unaufhörliche Bewegung der Städte in verschwommenen Bildern und Lauten, die uralten Jasminbäume vor verfallenen Pagoden wie Mandarine aus der Vergangenheit, runde Boote wie große Flechtkörbe an den Stränden des Südchinesischen Meeres; an tratschende Mönche und Nonnen, an das uralte Schweigen der Landschaft wie das eine Spiegels, in dem alle Erscheinungen verschwanden; an die Armut, den Schmutz, die Reinlichkeit, die undurchdringliche Sprache wie von Vögeln. An Bündel von schmutzigen Geldscheinen, verschlagene Ratten im Rinnstein, vier-, ja fünfköpfige Familien auf einem einzigen Fahrrad; an den barocken Synkretismus der Tempel und die reine Schönheit einiger buddhistischer Heiligtümer; an anmutige Mädchen in weißen *ao-dais*, die mit ihrem langen schwarzen Haar über geraden Rücken auf dem Fahrrad zur Schule fahren, und an ihre älteren Schwestern auf Rollern, munter wie Spatzen, mit Handschuhen, die bis über die Ellbogen reichen.

Meine Frau Hoang Lien und ich landeten in Noi Bai, dem Flughafen von Hanoi. Der Flug hatte uns über die fetten, braunen, faulen Mäander des Mekong geführt, über gebirgiges Waldland, aus dem vor gar nicht langer Zeit noch die weißen Rauchwolken des Krieges aufstiegen. Jetzt sahen wir nur noch hie und da Fangarme aus Rauch von den jährlich wiederkehrenden Brandrodungen der Bergbauern. Beim Landeanflug badeten massige Büffel mit der Abendsonne in roten Wasserstraßen.

Vor über einem Jahr war Hoang Lien in das Land ihrer Geburt heimgekehrt, seit vierzig Jahren zum ersten Mal. Nach einer Woche tauchte ganz unerwartet ihre Muttersprache aus den Schlupfwinkeln der Kindheit empor. Sie fand sogar Reste ihrer Familie. Zurück in Paris, bemühte sie sich, mir Schönheit und Würde, Armut und Leiden meines zweiten Vaterlandes nahezubringen. Endlich war es soweit, daß auch ich mein „Schwieger-Land" kennenlernte, denn nun sollten wir mit dem Zug das ganze Land durchqueren. Von Norden nach Süden, von Hanoi bis Saigon.

Ein paar Tage verbrachten wir in Hanoi mit Reisevorbereitungen. Das war nicht einfach. Im ganzen Land feierte man noch das Neujahrsfest nach dem Mondkalender *(tet nguyen dan)*, und die meisten Ämter hatten geschlossen. Die fernöstliche Welt glitt vom Jahr des Hundes ins Jahr des Schweines. Das Staatliche Gästehaus, ein öffentliches Hotel von heroischen Ausmaßen, war leer. Acht junge Frauen in dunklen Uniformen bedienten uns im höhlenartigen Speisesaal, jeder Bestandteil des köstlichen Essens war einzeln in Dong angeschrieben. In regelmäßigen Abständen brachte man uns frisch gekochtes Wasser aufs Zimmer, für den ebenfalls zur Verfügung gestellten starken schwarzen Tee.

Die Menschen schienen alle draußen auf den Straßen zu leben, meist auf den Fersen hockend. Auf jedem Quadratmeter Gehsteig saßen ganze Familien und kochten, reparierten, verkauften; das Gewerbe wechselte von der Straße der Seidenweber zur Straße der Video-Händler zu jener der Messerverkäufer zu der der Kühlschrank-Reparateure. Wenn die Sonne über dem „See des zurückgegebenen Schwertes" aufging, machten sehr alte Damen und klapperdürre alte Herren schon Tai-Chi-Übungen, spielten jüngere Leute Badminton. Vor dem Hauptpostamt standen Frauen und boten sich als Geldwechseler an, allerdings mit einem schlechteren Wechselkurs als in der Bank. Ich lernte, wie man die Straße überquert, indem man sich in den nie endenden Strom der Mofas stürzt wie in einen Fluß.

Auf einer Art Tablett sitzend, das zwischen den Vorderrädern der dreirädrigen Cyclo hängt, besichtigten wir die Stadt. Das Ho-Chi-Minh-Mausoleum war geschlossen, wahrscheinlich, weil die hier wohnhafte Mumie überholt wurde, aber gleich daneben konnten wir die so viel menschlichere, unendlich schöne, etwa tausend Jahre alte Einsäulenpagode besichtigen. Ich hatte nicht erwartet, noch immer so viel von den konfuzianischen Grundlagen des Lebens in Vietnam vorzufinden. Überall stießen wir auf Spuren ritueller Verehrung, in den Städten nicht weniger als auf dem Land. Der Vater des modernen Vietnam war eindeutig zu einem weiteren Ahnen geworden, dessen man mit Opfergaben und brennenden Räucherstäbchen gedachte. Ebenso klar war, daß das kommunistische Regime jetzt ebenso als Dynastie akzeptiert wurde wie alle vorherigen.

Schließlich kamen wir zum *ga* (dem Bahnhof, aus dem französischen *gare*). In den Fernzügen, die dreimal täglich in Richtung Süden fuhren (aber ganz sicher waren wir nicht – die Informationen schienen verwirrend und widersprüchlich) gab es vier verschiedene Klassen: weiches Bett, hartes Bett, weicher Sitz und harter Sitz. Wir konnten nur noch „hartes" Bett buchen – mit Strohmatten belegte Schlafstellen in einem Sechs-Personen-Abteil. Die Waggons stammten offenbar aus Rußland. Das äußere Fenster war vergittert, davor ein geblümter Vorhang, und auch die Gangfenster waren durch Eisengitter geschützt. Die untersten Betten dienten der Gepäckaufbewahrung. In jedem Waggon gab es einen Lautsprecher und mehrere bedienstete Männer und Frauen in grauen Uniformen, von Abteil zu Abteil bewegten sich Verkäufer von Zigaretten, Süßigkeiten und Zeitschriften. Am Bahnsteig gab es *tet*-Delikatessen zu kaufen – Kuchen aus klebriger Reis-Paste mit Sojabohnen-Füllung, in Bananenblätter gewickelt.

Mit uns im Abteil befanden sich ein bescheidenes vietnamesisches Paar mit einem kleinen Jungen und zwei deutsche Mädchen – Teil einer größeren Gruppe lautstarker Jugendlicher mit schlechtem Benehmen (bei ihrem Einstieg hatte der Schaffner seine Landsleute auf vietnamesisch ermahnt, was jene nicht verstanden hatten, doch „bitte Platz zu machen für unsere ausländischen Gäste").

Bald nach Abfahrt aus dem Bahnhof brachte uns ein junger Mann eine Thermoskanne mit heißem Wasser, ein Tablett mit winzigen Porzellanschälchen und ein kleines Plastikpäckchen Tee, den für den Norden typischen, scharfen Kräutertee. Mit schnellen, anmutigen Bewegungen bereitete die Mutter des kleinen Jungen Tee für uns alle. Die Geräusche des Zugs

Panasonic
SPRINGER & JACOBY
WIDE x28
Panasonic
Super VHS

waren so, wie wir sie in Europa schon lange nicht mehr hören. Bei jedem Halt weckten uns Menschen, die laut ihre Waren anpriesen. Schaffner schwenkten altmodisch viereckige Lampen, und schon tauchten wir wieder ein in die Nacht. Der Vater des Jungen rauchte zurückhaltend im Dunkeln. Ich träumte von meiner Zeit im Gefängnis – vielleicht rief das harte Bett die Erinnerung wach.

Der Morgen brachte ein lächelndes Mädchen, das im Gang hokkend uns das Frühstück bereitete: für jeden von uns einen Teller Salat und frische Kräuter, Brot und zwei Spiegeleier, darunter eine Schale mit Kartoffelsuppe und darin eine Scheibe Fleisch. Und schon befanden wir uns in einem tausendjährigen Bilderbuch. Verwunschene Berge stiegen geheimnisvoll aus der Ebene empor wie Drachenhöcker in der Vorstellung eines Tuschmalers aus alter Zeit. Die Ebene glänzte im frischen Grün der jungen Reisschößlinge. Alles Silber des Himmels lag über die Felder ausgegossen und verlieh den Bächen leuchtenden Glanz. Und ebenso plötzlich waren die Bauern da, im Gänsemarsch auf dem Weg ins Feld, Hacken auf den Schultern, auf den Köpfen kegelförmige Hüte. Es war nicht zu übersehen, daß die Hälfte der 73 Millionen Vietnamesen Kinder und junge Menschen sind.

Palmen, Bananenhaine, Papayagruppen, Avocadopflanzungen. Die Hütten mit Palmwedeln gedeckt, die Wände aus Lehm und Bambusblättern. Zwei Menschen wateten mit hochgekrempelten Hosen durch ein geflutetes Reisfeld und fischten. Immer wieder stiegen sauber gekalkte, gut gepflegte Grabmäler aus den Feldern auf, sehr oft in Form von Booten. Weitere Fischernetze hingen von hohen Stangen über die Bäche, kleine Brücken spannten sich über aufgewölbte Deiche. Ein paar Leute hinter einem von Büffeln gezogenen Pflug. Ein alter Mann mit Hut saß reglos, einen Fuß eingezogen, auf dem Rücken eines ebenfalls reglosen Tieres, das an seinem eigenen Spiegelbild kaute.

Weil alles hier sein Spiegelbild hatte, sein silbriges Gegenüber, bot die Landschaft für mich eine vollkommene Synthese von althergebrachter Vorstellung und von Überlebens-Tätigkeit, miteinander verbunden durch unaufhörliches Bilden und Um-Bilden, so daß sich nichts zu verändern schien und die Menschen weiterhin in einem stillen, meditativen Universum lebten, wo die materiellen Bedürfnisse des Daseins sich umsetzen in ein Alphabet der Schönheit.

Fetzen flatterten von hohen Stangen über die Reisfelder, Banner und Flaggen in allen Farben knatterten im Wind – um die Vögel zu vertreiben, sagt man. Aber eigentlich dienen sie der Abwehr böser Geister und der Feier von Kraft und Freude.

In der Nacht hatten wir Vinh nahe Kim Lien, des Geburtsortes von Ho Chi Minh, passiert. Auf der Karte stand unter den Namen einiger Städte „Schwere Bombenschäden".

Ein Schaffner, dem ein Finger fehlte, fegte die Hülsen der Sonnenblumenkerne vom Boden, die der junge Ehemann (der mir schüchtern eine seiner wenigen Zigaretten angeboten hatte) zwischen seinen Zähnen knackte. Die junge Frau sprach Russisch – das Idiom der Vergangenheit – und Englisch. Vielleicht wollten sie und ihr Mann ebenfalls Business Management studieren, so wie alle anderen, mit denen wir sprachen. Entschuldigend redeten sie von der Armut des Landes, als wäre sie eine Schande. Aber, so sagten sie, seit 1990 habe sich viel verändert.

Nach Dong Hoi wurde die Landschaft deutlich flacher. Die Berge am Horizont waren keine Brotlaibe mehr, sondern nur noch Bänder. Hie und da bemerkten wir Stupas, wahrscheinlich die Gebeine von Heiligen enthaltend. Ich dachte: Das Leben hier ist nichts als die langsame Einübung von Geduld. Die Menschen arbeiteten in Gruppen auf den Feldern – eine alte agrarische Notwendigkeit, auch Ausdruck der Familien- und Clan-Verbundenheit. Jetzt fuhren wir wirklich die Wirbel des Rückgrats der Schlange hinunter. Ist der Drache nicht eigentlich die archetypische, mythische Schlange? Sollte ich je ein Buch über Vietnam schreiben, dann unter dem Titel Drache und Spiegel. Der Vater mir gegenüber strich mit zitternden Lippen kosend über den Kopf seines Sohnes.

Kurz vor Dong Ha und dem 17. Breitengrad und zwischen den smaragdgrünen Mündungen der Flüsse Tung und Viet überquerten wir die McNamara-Linie unseligen Andenkens. Bei der Einfahrt in den Bahnhof rostige Panzer, überwuchert vom glänzenden Grün des Gebüsches. Mit einem Korb schöpfte eine Frau in rhythmischen Bewegungen Wasser aus einem Graben ins Reisfeld. Eine Kuh war mit einer Schnur an einen langen, biegsamen Bambusstock angepflockt.

Es war früher Nachmittag, als wir in Hue ankamen. Daraus wurden zwei lange Tage auf der Suche nach Spuren kaiserlicher Vergangenheit. Aber das ist eine andere Geschichte.

Die Weiterreise nach Saigon war umständlicher. Kurz nach zwölf Uhr mittag begann dann wieder die Fahrt mit dem Zug, diesmal in der Klasse „weicher Sitz". Der Waggon bis zum Dach gesteckt voll mit Menschen und Gepäck. Die rätselhafte Inschrift *Kinh Chuc Ou Khach Thuong Lo Binh Anl* auf der Lehne des Sitzes vor uns entpuppt sich als „Willkommen in der Vietnamesischen Eisenbahn! Wir wünschen Ihnen eine gute Fahrt!"

Je weiter wir nach Süden kamen, um so wärmer wurde es. Während ich im Korridor in der Toilettenschlange wartete, strichen zwei kleine Jungen über meine behaarten Unterarme und konnten sich dabei vor Kichern gar nicht mehr fangen.

Es wurde ein langer Nachmittag und eine noch längere Nacht. Bei Tageslicht konnten wir sehen, daß die Reisernte bereits eingebracht war. Felder voll anonymer Gräber glitten an den Zugfenstern vorbei, dann große Pflanzungen mit Blaugummibäumen, mit denen man das Land wieder aufforsten will, dann Dörfer, Bauernhäuser, hie und da Denkmäler für die Gefallenen oder für den Sieg, dann wieder Gräber, die fast schon zu Erde geworden sind.

Kurz vor My Lai, wegen der hier von den Amerikanern begangenen Kriegsverbrechen in böser Erinnerung, bedachte uns der Lautsprecher mit einem kaum verständlichen Vortrag. Der Zug zischte, ratterte, ächzte, schwankte und ruckte. An einigen Stellen lagen die Gleise ganz nahe am Meer.

Ventilatoren an der Decke zerschnitten die dicke Luft. Junge Männer vor uns fragten mich nach meiner Meinung zu Vietnam und dankten mir dann überschwenglich für meine Bemerkungen. Abwechselnd rollten sie sich auf den Sitzen zum Schlafen ein. Plötzlich zuckte ein Video-Schirm auf und gab höchst gewalttätigen Schund aus Hongkong von sich, mit Untertiteln auf englisch.

In der Nacht, als der Zug hielt, brachen dreimal Menschenhorden über uns herein und boten uns in jammerndem Ton ihre Waren zum Kauf an. In ihren Augen waren wir ein Schwarm potentieller Käufer. Das Fenster, an das ich meinen Kopf lehnte, schloß nicht ganz; die kalte Nachtluft legte sich wie eine Haut über meine Zähne.

Vor Saigon noch einmal ein langer Vortrag, auch diesmal auf englisch. Die einzigen Worte, die ich aufschnappen konnte, waren „Volk" und „Unabhängigkeit".

Langsam glitt der Zug in den Bahnhof, noch vor der angegebenen Ankunftszeit. Es war viertel vor sieben. Wir waren steif, erschöpft und verschlafen und ziemlich schmutzig.

BREYTEN BREYTENBACH, *geb. 1939 in Südafrika, wurde in Deutschland vor allem bekannt für seinen Widerstand gegen die Rassenpolitik seines Landes. Er ist aber auch Maler und Lyriker. Breytenbach, mit einer in Frankreich aufgewachsenen Vietnamesin verheiratet, lebt in Paris.*

MISS SAIGONS

Von Alexander Smoltczyk (Text) und Robert van der Hilst (Fotos)

Filialleiter Bui Vi Hoanh: Glücklich durch Fast Food

Reich werden im Kommunismus? No problem. Zwanzig Jahre nach der Kapitulation Südvietnams herrscht Goldgräberstimmung unter der neuen Bourgeoisie. Der Dollar ist wieder da

NEUE LOVER

Baustelle Saigon: Hochhäuser sind die neuen Tempel

FLEISS **und Willenskraft rechnen sich in dieser geldbesessen**

■ Miss Saigon? Von wegen. Eine Lebedame ist sie, eine Kokotte, die den Ruch der Opium-Fumerien von Cholon nie ganz losgeworden ist. Gestatten: Madame Ho-Chi-Minh-Stadt, geborene Saigon. Weiß doch jeder, daß sie es mit jedem getrieben hat, egal ob Franzos oder GI, und immer ihren Spaß dabei gehabt. Und nun, nach zwanzig Jahren Zwangskeuschheit hat Madame wieder ganz dick aufgetragen: Sanyo, Hitachi, Heineken – himmelhoch leuchten die Werbewände am Flußufer, und gleich darunter faulen die Bambushütten der Sumpfbewohner. Das ist dünne Schminke, Madame.

Aber Spaß macht ihr das neue Leben ganz offensichtlich. Bereichert euch! Handelt, feilscht, und dreht euch nicht um nach gestern. „Hello friend, Schuhputzen?" – „Mister, kauf meinen Chinook-Hubschrauber, aus Cola-Dosenblech." – „Psst, nice dancing girls?" Miss Saigon, wieder ganz die alte. Und die Freier kommen. Die Companies aus Taiwan, Singapur, Hongkong prügeln sich um Büros in der Viermillionen-Stadt. Investment-Consultants aus London und L.A. stapeln ihre Container im Foreign Trade Development Center, um dort luftgekühlt ihre Joint-ventures anzubahnen. Ein Drittel von Vietnams neuem Reichtum wird in Saigon gescheffelt, zwei Drittel des Außenhandels werden hier abgewickelt. Täglich mehr Limousinen treiben walfischgleich im schwirrenden, surrenden Strom der Mopeds und Cyclo-Rikschas. Aus allen Kanälen fließt das Geld, die Projekte rechnen sich in dreistelligen Millionen-Dollar-Beträgen. Wie einst die Boat people kommen die Hongkong-Milliarden übers Südchinesische Meer und bitten um Aufnahme. In den Straßen rund um den Cho-Chu-

Bankgeschäfte: Last mit alten Geldscheinen

adt. Noch kann hier jeder Millionär werden

Huynh Tranh Chung: Mit 26 Jahren Millionär

Markt hocken die Höker in Festungen aus TV-Kartons; US-Army-Trucks karren Moniereisen zu den Baugruben, auf deren Umzäunungen das lichte Morgengrau gemalt ist: ein 36stöckiges Geschäftszentrum! Ein Freihafen! Eine Wissenschaftsstadt! In Ho-Chi-Minh-Stadt ist mehr Zukunft als anderswo in Vietnam. Man krallt sich ans Morgen, wie man sich früher an die alte Zeit geklammert hat.

Ein graumelierter 1946er Peugeot zwängt sich durchs Getümmel. Darin sitzen ein GI-Veteran und eine Prinzessin. Das sind Gil Watts, der Shrimps-König von Saigon, und seine Gattin Phuong, die Enkelin des letzten Kaisers Bao Dai. Gil und Phuong sind reich. Sehr reich. Aber das sieht man nicht. Der Mann wirkt so unaufgeregt, als habe er sein Leben im Post Office von Oklahoma verbracht. Gerade hat er erfahren, daß eine Öllache Krabbenbrut im Wert von zwei Millionen vernichtet hat: „Shit happens."

Als die Yankees 1973 endlich heimgegangen waren, beschloß Watts zu bleiben. „Three years, one month, and two days" war er Soldat gewesen, dreimal verwundet, und an den Sinn des Krieges glaubt er immer noch. Gil ist 51 Jahre alt und kommandiert per Handy 450 Fischerboote, drei Konservenfabriken, einige Shrimps-Farmen im Mekong-Delta und diverse Büros im gesamten Pazifikraum. Nachdem Saigon endgültig gefallen war, mußte Watts das Land doch verlassen. Er wartete auf den Philippinen, bis 1989 eine Regierungsmaschine aus Vietnam angeflogen kam und ihn an Bord nahm. Als erster Amerikaner wurde Gil Watts zum Wiederaufbau eingeladen: „Als ich in Nha Trang von Pionierchören begrüßt wurde, wußte ich, daß sich die Zeiten geändert hatten. Ich sollte die Shrimps-Industrie aufbauen." Seither ist er nur ein einziges Mal wieder in den Staaten gewesen: „Saigon ist *der* Ort, um Business zu machen."

■ Watts hat gelernt, mit den Vietcong Geschäfte zu treiben. Es sei nicht einfach, aber: „Wenn man nach vielen misunderstandings und entsprechenden Geschenken das Okay für ein Projekt hat, dann ist auch Verlaß darauf. Die Regierung hat alles unter Kontrolle. Wenn sie etwas will, kann sie es durchsetzen. Das ist der Vorteil des Kommunismus." Sagt Vietnam-Veteran Gil Watts, „three years, one month, and two days" im Krieg und mit dessen Ausgang gar nicht mehr so unzufrieden.

Miss Saigon, Deine Liebhaber. 5000 ausländische Businessmen leben schon wieder in der Stadt, fluchen über die Mieten und bevölkern abends die American Bars rund um die Dong-Khoi-Straße. Sie stoßen die Billardkugeln im Planet Saigon, legen am Tresen der Q-Bar ihre Anzüge in Falten und bleiben unter sich. Wenn jemand mit seinem Handy herumläuft, als sei es seine Schmusedecke, wenn jemandem die Arroganz des Geldes im Gesicht steht wie eine Hautkrankheit – dann ist das selten ein Einheimischer. Die ersten Millionäre des *doi moi,* der parteiamtlich verordneten wirtschaftlichen Erneuerung, plakatieren ihren Reichtum nicht.

Catherine Karnow

Restai

nerin Nguyen Anh Phuong mit Freundin: Die Beautiful People von Saigon sind fix und haben das Zupacken gelernt

Body Building-Studio: Zeitgemäße Männerträume

SPASS

soll das neue Leben bringen. Wer am Boom partizipier

■ Herr Thai Van Hung sieht aus wie ein Zigarettenhändler vom S-Bahnhof Pankow, nur etwas schlichter gekleidet. Mit seiner Frau bewohnt er ein Zimmer in der Hunsan-Schuhfabrik. Auffällig an Herrn Thai ist nur die Rolex, die an seinem Ärmchen hängt wie der Erkennungsring an einer Taube: Herr Thai ist einer der reichsten Männer Saigons. Ihm gehört die Schuhfabrik Hunsan. Und zwei andere Werke auch. Herr Thai macht monatlich eine Million Dollar Umsatz. Er näht Teddybären und Sportschuhe für Cardin, und wer in Frankreich, Deutschland, Holland diese so erstaunlich billigen Sneaker kauft, der verdankt sie Herrn Thai und seinen 2500 Näherinnen. „Mein Onkel", sagt Thai Ngoc Nguyen, der 1978 in einem 14-Meter-Boot übers Südchinesische Meer flüchtete, eine Law School in Neuengland absolvierte und als rundliche Ausführung des Herrn Thai zurückgekehrt ist, „mein Onkel möchte von seinem Reichtum erst eine Schule stiften, bevor er für sich selbst eine Villa baut."

Als die Vietcong gesiegt hatten, aber immer noch auf zerschnittenen Autoreifen herumliefen, begann Herr Thai in einem Schuppen, PVC-Sandalen zu produzieren. Er nannte seine Manufaktur Kooperative und wurde in Ruhe gelassen. Auf leisen Sohlen vergrößerte Herr Thai seine Tarnfirma, und kaum hatte die Partei den Kapitalismus als Durchgangsstadium zum Kommunismus beschlossen, verlegte er sich auf Sportschuhe. „Schuhe gehen immer", sagt Herr Thai, „wenn eine Wirtschaft loslegt. Schuhe sind die Basis."

Im Unterschied zu Rußland ist Vietnams Reichtum weder der Spekulation noch der Piraterie geschul-

Schuh-Händler: Reich durch Plüsch und Plastik

ill, trainiert sich in westlichen Spielregeln

Nguyen Phuoc Dai: Die Grande Dame von Saigon

det. Die neue Bourgeoisie hat Marx gelesen und weiß, daß Produktion die Grundlage ist. In Ho-Chi-Minh-Stadt ist es möglich, auf ganz legale und produktive Weise in drei Jahren zum Dollarmillionär zu werden: „Aber was ist hier schon eine Million?" sagt Huynh Tranh Chung, mit 26 Jahren der jüngste unter Saigons Millionären. Wie alle Erfolgsverwöhnten klagt er über die Hürden des Lebens: die Bürokratie, die knausrigen Banken, die Konjunktur und das Wetter. „Mein Vater war Vietminh, mein Schwiegervater Kapitalist – *National*kapitalist", präzisiert er. „Ich habe die Außenhandelsschule besucht, Russisch ist meine einzige Fremdsprache. Vor drei Jahren borgte ich mir 20 000 Dollar bei meiner Familie. Ich wollte Shrimps nach Japan verkaufen. Es lief ganz gut." Ganz gut meint 3600 Tonnen im Jahr. Chungs Familie versorgt das Land inzwischen mit Coca-Cola, Zahnpasta, Granitsteinen und Speiseeis. Der Trust ist 50 Millionen wert. „Natürlich könnte ich mein Vermögen ins Ausland bringen. Aber warum sollte ich? Wir haben doch alle das gleiche Interesse: Wir müssen unser Land aufbauen und reich machen."

Eine erstaunliche Haltung – in Vietnam hat das Kapital eine Heimat. Das steht im Widerspruch zu den Schriften Lenins und Milton Friedmans. Schon die Amerikaner verloren ihren Krieg, weil sie nicht verstanden, daß jeder Vietnamese zunächst einmal Vietnamese ist, und dann erst Kommunist. Die Grenzen verlaufen unscharf in diesen Breiten.

■ „Kommen Sie in meinen Salon", hatte die alte Dame gesagt. „Es sind auch zwei Professoren geladen: Vietcong, aber sehr gut erzogen – *à l'Indochine française…*" Madame Dai ist eine der erstaunlichen Persönlichkeiten Saigons. Eine Grande Dame, die jeden Samstag zwischen einer Sammlung Opiumpfeifen und dem Bildnis von Onkel Ho Salon hält. Man trifft sich zum Hauskonzert, debattiert gepflegt über die Wahlen in Frankreich, und über allem hängt ein Schild: „Achtet das Gesetz und die Verfassung". Denn Madame Dai ist eine Frau des Rechts. Der Code Napoléon ist ihr Evangelium, das *Journal judiciaire* die Lektüre für Minuten.

Die Enkelin eines Marquis und Reisfeldfürsten war in den Vierzigern die schönste Blüte von Cochinchina. Sie wußte geistreich zu parlieren und das Pianoforte zu bedienen, und die Straßen Saigons kannte sie nur aus der Perspektive eines chauffeurgesteuerten Citroën-Traction. Ihre Jurastudien in Montpellier beendete sie mit Auszeichnung, beschloß aber trotz des Krieges nach Saigon zurückzukehren, um in der heutigen Nguyen-Du-Straße eine Kanzlei zu eröffnen. Madame Dai wurde zur einflußreichen Vizepräsidentin des Senats von Südvietnam.

Dann kamen die Vietcong. „Ich habe diese Menschen immer bewundert, weil sie das Fieber, die Bomben für die Unabhängigkeit in Kauf genommen haben. Aber ich bekam Berufsverbot. Die Pléiade-Bände mußte ich zum Altpapier geben. Die Gesetzesbücher wollte keiner, die waren zu vergilbt."

Cruising am Nguyen Hue Boulevard: Allabendlicher Mahlstrom

ZUKUNFT **ist die einzige Zeitform, die hier zählt**

Tran Bach Dang: Vietcong-Chef als Verleger

Gil Watts: Vom GI zum Krabben-König

Sie hätte nach Frankreich emigrieren können, wo ihre Familie ein Schloß in Essonnes besitzt, doch Madame Dai blieb. Und um zu überleben, lernte sie, auf den Markt zu gehen, und eröffnete in ihren verwaisten Kanzleiräumen eine Suppenküche.

■ Im heutigen Restaurant La Bibliothèque läßt Madame zwischen den vergilbten Bänden des Droit Civil *Petits Flans* und *Canard à l'orange* servieren, und es ist selbstverständlich, den Ort nicht durch Anglizismen zu beleidigen. „Das Restaurant war meine Tür zur Welt, als alle Türen geschlossen waren. Hier traf sich die Intelligenz. Manchmal kam auch der französische Konsul." Die 72jährige sitzt in ihrem violetten, mit Weinlaub bestickten *Ao dai* unter dem Bildnis Ho Chi Minhs: „Voyez vous, ich bin eine alte Bourgeoise, aber ich verehre ihn. Weil er unser Land geeinigt hat."

Präsident Mitterrand ließ sich bei seinem Besuch 1993 gleich vom Flugplatz ins Bibliothèque fahren, nicht allein, um gut zu essen. Madame Dai ist aus ihrer Küche wieder in die Welt getreten. Das Regime erinnerte sich der alten Dame und bat sie, Gesetze zu schreiben. Natürlich, es gebe noch Umerziehungslager in Vietnam: „Es braucht seine Zeit, aus einem Panzer ein Zivilfahrzeug zu machen. Außerdem", fügt sie hinzu, „das Gedächtnis ist dazu da, nur die schönen Dinge zu bewahren." Und ebenso engagiert, wie sie gerade ihren *Canard* gepriesen hat, erzählt die winzige Dame von Verwaltungsrecht, von *habeas corpus* und dem Code civil. Mit der Verve eines jungen Mädchens aus Cochinchina.

Noch verfügt die Partei über uneingeschränkte Macht. Noch zähmt sie ihre Reichen. Es gibt keine Casinos wie zu Madame Saigons Zeiten, noch keine offene Prostitution und keine Mafia. Regelmäßig schließen die Kommunisten allzu freche Nachtbars oder lassen einen zu voreiligen Investor fünf Etagen seines Buildings wieder abtragen.

Kein Besucher dieser geldbesessenen Stadt würde auf den Gedanken kommen, sich im Sozialismus zu befinden. Als geübte Chamäleons haben sich die ehemaligen Vietcong der neuen Zeit angepaßt. Auch und gerade sie gehören zu Saigons neuen Reichen. Tran Bach Dang zum Beispiel ist der Altmeister der Camouflage, nie zu erkennen, nie zu fassen. Der heute Siebzigjährige war Vietcong-Chef von Saigon. Er plante während der Tet-Offensive das Attentat auf die US-Botschaft und lebte unerkannt gleich neben der Residenz des amerikanischen Vize-Botschafters. Tran wechselte die Identitäten jeden Morgen, war Mechaniker, Banker, Professor – und dabei stets der Fadenzieher aller Untergrundaktionen. Heute lebt der Kriegsheld in seiner Kolonialvilla in der Phan-Ke-Binh-Straße, beschützt von Stacheldraht und fünf japanischen Zwerghunden. Ein Herr mit weißem Stoppelhaar, dessen Identität sich irgendwo hinter schwer hängenden Lidern versteckt.

„Wer sind Sie, Herr Tran?"

„Oh, ein alter Mann. Ich schreibe Spionageromane und unterrichte Ökonomie und Sozialwissenschaften an der Universität." Und nebenbei ist Tran die rechte Hand von Premierminister Vo Van Kiet.

Auch Herr Tran ist reich. Ihm gehört die *Economic Times*, und es ist nicht die kleinste Mercedes-Limousine, die in seiner Garage steht. „Selbstverständlich bin ich noch Kommunist!" stellt er klar und definiert: „Kommunismus bedeutet, möglichst viele Menschen möglichst wohlhabend werden zu lassen. Wenn nötig", fügt er hinzu, „mit den Mitteln des Kapitalismus."

Tarnung ist alles, alles ist Tarnung. Hinter dem größten Immobilien-Investor der Stadt verbirgt sich die Befreiungsarmee Vietnams. Und der erste Golfklub, wo man ab 35000 Dollar Mitglied werden kann, gehört zur Hälfte dem staatseigenen Druckereikombinat.

Aber schmerzt es den alten Antiimperialisten nicht, daß sich im Rex-Hotel wieder Amerikaner von Vietnamesen B-52-Cocktails servieren lassen? Nach mehr als drei Millionen Toten? „Keineswegs." Herr Tran weiß noch aus dem Untergrund, daß Oberflächen trügerisch sind. Nicht die Cola-Werbetafeln zählen: „Die Amerikaner sind heute nicht mehr unsere Herren, sondern unsere Gäste. Das ist ein gewaltiger Unterschied. Wenn sie sich nicht zu benehmen wissen, weisen wir ihnen die Tür."

Nein, nein, es werde keinen wilden Kapitalismus in seinem Land geben: Das Utopia seiner Partei heißt Singapur, nicht Bangkok. Mit Autorität will man verhindern, daß der Boom außer Kontrolle gerät. Ein aussichtsloser Kampf? Es wäre nicht der erste unmögliche Sieg des Tran Bach Dang.

Am 30. April 1995 hat sich Madame Saigon noch einmal, ein allerletztes Mal, in ihre Ho-Chi-Minh-Kluft gezwängt, hat rote Fahnen gehißt zum 20. Jahrestag der Kapituliberation. Noch einmal paradieren die Jungpioniere, die Delegationen der Werktätigen, und die Gerontokraten klingeln milde mit den Orden. Es ist heiß, aus den Lautsprechern singt es vom Morgenrot, die nationalen Minderheiten tanzen auf dem Asphalt. An den Mauern kleben die Plakate des Gedenk-Marathons zur Feier des Sieges über den US-Imperialismus – gesponsert von der Pepsi Corporation.

■ Das Volk ist nicht geladen. Die Mopeds sind umgeleitet worden. Sei's drum, denken sich die Hondaprinzessinnen, dies ist eine Abschiedsfeier: Madame Saigons Travestie-Show zur Gaudi der Alten. Das wahre Fest steigt am Abend, wenn Karneval ist. Wenn die Trommler die Gespenster des Krieges ein für allemal verjagen, wenn das Feuerwerk die Dämonen austreibt, wenn die Mopeds wieder kreisen, schneller und immer schneller, bis alles sich dreht und alles verschwimmt im goldenen Rausch der neuen Zeit.

ALEXANDER SMOLTCZYK, *geb. 1958, arbeitet für die* Wochenpost *und für* GEO. *1994 und 1995 erhielt er den Egon-Erwin-Kisch-Preis.*

ROBERT VAN DER HILST, *geb. 1940 in Amsterdam, arbeitet als freier Fotograf von Paris aus für* GEO, Vogue, Marie Claire.

Fotos: Walter Unger

Flughafen Saigon im Juni 1969: Der querschnittsgelähmte Nguyen-Loan beim Abschied von seiner Mutter

Der Frieden
frißt
seine Kinder

Dies ist die alltägliche Geschichte einer Fischerfamilie aus Hue. Getroffen vom Krieg und zerrissen im Nachkriegsvietnam bricht die Familie auseinander. Der Autor, als Kind schwer verwundet und von einer Hilfsorganisation nach Deutschland ausgeflogen, kehrte nach 22 Jahren wieder heim. Er beschreibt hier sein Schicksal und das seiner Angehörigen

von Nguyen-Loan Brossmer

Alles verdanke ich meiner Mutter. In einer Februarnacht während der Tet-Offensive 1968 in Hue wurde ich von einem Granatsplitter verwundet. Mutter verkaufte das Hausboot, auf dem wir lebten, um medizinische Hilfe zu besorgen, und brachte die anderen Kinder bei Verwandten unter. Als die Ärzte nach einem halben Jahr aufgaben, schleppte mich Mutter, sie war im siebten Monat schwanger, zum Flughafen. Dort warteten Mitarbeiter einer deutschen Hilfsorganisation auf mich. In jenem Augenblick erwuchs in mir eine Melancholie, die ich nie mehr verlor. Es war ein beliebiger Tag in einem beliebigen Krieg, der auch im nachhinein ohne Sinn bleibt. Er tötete 58 000 Amerikanern und mehr als drei Millionen Vietnamesen. Mir wurde nur das Rückenmark durchtrennt, anderen aber das Gehirn aus dem Schädel gerissen, mit einem Schrapnell der Körper zerfetzt oder die Haut wie ein Stück Papier verbrannt.

Also Mutter: Sie legt ihren Sohn in fremde Hände, um ihn zu retten. Sinkt auf dem Beton einer Landepiste zu Boden, in eine Öllache, die ein Fahrzeug verloren hat. Leute, die anfangs gaffend um sie herumstehen, wenden sich von der schluchzenden Frau ab. Wenige Jahre später wird sie sterben, ohne den Sohn je wiedergesehen zu haben. Man berichtete mir, daß ich nicht weinte, sobald ich im Flugzeug saß – manchmal verstummen Kinder, wenn ihr Schmerz zu groß ist. Meine Melancholie sollte der lächerliche Versuch werden, diese Tränen nachzuholen.

Die Schwermut hat sich auch eingegraben in das Herz meines Vaters und meiner sechs Geschwister. Meine Familie, das ist eine von Hunderten Fischerfamilien in Hue, die auf Sampanbooten leben. Diese Schwermut trieb meine zwei Jahre ältere Schwester Thê regelmäßig zur Wahrsagerin: Bleibe an diesem Ort, so lautete die Auskunft, und du wirst deine Bestimmung finden.

Vater, so berichten die Kinder, verläßt immer wieder aus heiterem Himmel seinen angestammten Platz am Bug, um unters Dach zu krabbeln und seinen kleinen Holzschrank zu öffnen. Zwischen Räucherstäbchen und Briefrollen ist das rund 15 Jahre alte, fast verblichene Bild von Mutter aufbewahrt. Doch er kann sich auf die gewaltige Kraft seiner Erinnerungen verlassen. Wenn Vater vor seinem Altar sitzt, spricht er mit der Seele der Verstorbenen.

Dazu muß man wissen: Ganz in der Nähe der Thien-Mu-Pagode am Ufer des Perfume Rivers, wo die feuerroten Flamboyants so hoch wachsen, daß sie Schatten werfen, trat Vater in eine Mine, und man mußte ihm beide Beine amputieren – geschehen im März 1975, sechs Wochen vor Kriegsende. Er hat nie darüber geklagt. Genauso wenig würden die Kinder laut darüber spekulieren, daß „Mutter auf uns herabblickt", wie mir Thê insgeheim verrät, und daß „viel Unglück nicht geschehen wäre", wenn sie noch lebte. Darüber in Hue zu lamentieren, wäre etwa so, als würde man sich über die allabendliche Invasion der Moskitos beschweren. In kaum einem Landstrich sind derart viele Kriegsopfer zu beklagen wie in Annam, durch den die Demarkationslinie lief.

Vielleicht, nein, ganz gewiß hätte Mutters Anwesenheit verhindert, daß manche Träume so jäh wachsen können, daß sie zerstören. Ich spreche von meinem Bruder Phong. Er ist der zäheste Bursche von allen, die auf dem „Fluß der Wohlgerüche" leben und arbeiten. Eine Entschlossenheit liegt in seinem Gesicht, die ihn von seinen Geschwistern unterscheidet. Man sieht ihn nie lächeln. Seine Hände packen noch zu, wenn die anderen Fischer schon aufgegeben haben. Um vier Uhr morgens springen sie ins Meer, und Phong bleibt so lange unter Wasser, um die Netze auszulegen, daß man fürchtet, er werde nie wieder auftauchen.

In jenen Tagen, als Phong noch nicht wußte, daß Träume Seelen auffressen können, beobachtete ich ihn bei seiner zweiten Arbeit: Wie er einen Sack voller Steine mit dem doppelten Gewicht seines Körpers auf einer Baustelle herumwuchtete und dabei nur unterbrach, wenn er vor Erschöpfung kotzen mußte.

Dies ist sein Kapital: eiserne Muskeln, Pferdelungen und der Ehrgeiz, niemals aufzugeben. Doch dann kam der Schmerz. Mit meinem ersten Besuch in Hue im Jahr 1990 – 22 Jahre nach meiner Kriegsverletzung, die mich in den Rollstuhl gebracht hatte – veränderte sich das Leben meiner Familie auf fatale Art. In den kommenden Wochen war Phong noch der zärtlichste Mensch auf Erden. Wir lagen Arm in Arm auf der Terrasse des Huong-Giang-Hotels mit Blick auf den Fluß. Wir tauschten unsere Träume aus. Ich stellte mir eine kleine weiße Villa in Hue vor, in der ich eines Tages leben würde. Seine Illusion war genauso ungeheuerlich: Er wollte das Meer mit einem kleinen Schiff überqueren und plötzlich an meine Münchner Haustür klopfen. „Du weißt doch nicht einmal, wo Europa liegt!" lachte ich. Mit ernster Miene zeigte Phong auf den Horizont, wo sich der Fluß krümmte und zwischen Bananenpalmen und Wasserefeu verschwand: dies war die Anschrift des Paradieses.

Ich dachte daran, was ich zu tun hatte, und dies war nichts geringeres, als das Geschenk meiner Mutter zurückzugeben. Kurz vor meinem Abflug kaufte ich ein Haus, damit sie nicht mehr auf dem engen Sampan leben mußten: der Vater, Phong, der ältere (28) und Phóng, der jüngere (24); dessen Zwillingsschwester Thu und die drei anderen Schwestern Thê (32), Hiên (22) und Bé (17) samt Anhang und Kindern.

Phong starrte ungläubig auf den grünen Umschlag mit dem Geld, für das er mehr als dreißig Jahre lang hätte schuften müssen. Glotzte seinen Bruder an, der da draußen in der

Ferne fett geworden war, aber ein frisches T-Shirt trug, seine schlaffen Beine, die nicht mehr laufen konnten, aber in amerikanischen Jeans steckten.

Von diesem Tag an wußte Phong, daß er der Bruder war, der verloren hatte. Die neue Unterkunft konnte noch so majestätisch sein – niemals würde sie seinen Schmerz betäuben können, daß es Orte gab, an denen man offenbar auch ohne zwei gesunde Füße scheinbar unendlich reich werden konnte, während er seinen Körper bis zum Letzten quälte und doch stets einer dieser armen Fischer bleiben würde, die früh am Morgen mit ihren stets zu leeren Netzen, nach Schnecken und Tang stinkend, heimkehrten und sich zu allem Überfluß noch auf dem Markt herumschlagen mußten. Mit keifenden Weibern, die jeden Abalon und Aal so lange umdrehten, prüften, wogen und bemäkelten, bis ihre Feilscherei ein Ende hatte. Das brachte Phong täglich kaum 8000 Dong ein, weniger als einen Dollar. Warum zum Teufel hatte der Bruder seiner Familie nicht zwei, nicht drei, nicht vier Häuser eingerichtet? Warum nicht mindestens eines nahe der Dong-Ba-Einkaufshallen, wo er den Marktfrauen lässig von oben herab hätte zuwinken können?

Zweiundzwanzig Jahre lang hatte der Vater nicht ernsthaft geglaubt, seinen verlorenen Sohn noch einmal zu umarmen. Deshalb verzeiht er ihm alles: die Jeans, das weiße T-Shirt, den grünen Umschlag, den späten Besuch. Deshalb ermahnte er den anderen Sohn, der verloren hatte: „Du mußt dankbar sein."

Phong, dem der Vater schon lange nichts mehr vorschreiben konnte, nickte und schwieg. Doch es schien, als krieche eine finstere Entschlossenheit aus seiner Seele, so düster war sein Antlitz. Kurz nachdem ich nach Deutschland zurückgekehrt war, erreichte mich die Nachricht, die Phong, der weder schreiben noch lesen kann, jemandem diktiert haben mußte: „Geister brachten Krankheiten und Pech über unser Haus. Wir müssen ein neues kaufen. Bitte hilf uns." Ja – nicht selten brechen in Vietnam übersinnliche Mächte in dein Haus ein und verhexen dich, und wehe dir, wenn du sie nicht ernst nimmst. Doch Phong hatte gelogen. Der einzige Mensch, den hochprozentige Geister heimsuchten, war mein Bruder, wie mir ein Arzt aus Hue berichtete, den ich aus Deutschland kannte. Größenwahnsinnig und betrunken rannte Phong seit meiner Abreise durch das Dorf und verprügelte jeden, der seine Angebereien nicht hören oder ihm kein Geld leihen wollte.

Kriegsverletzte Kinder vor dem Abflug

Als nunmehr ältester Sohn in der Familie nahm Phong nach Vater Platz zwei in der Hierarchie ein. Wenn der jüngere Phóng den Motor des Fischerbootes anwerfen wollte, stieß ihn der ältere unwirsch zur Seite, und jeder akzeptierte diese Allüren. Doch jetzt schlug Phong nicht nur seine Freunde und Geschwister, sondern er vergriff sich ebenso an den älteren Verwandten, sogar am Bruder unserer Mutter, der seit ihrem Tod vorbeischaute und mit anpackte, wann immer es ihm möglich war.

Selbst Vater fürchtete sich vor Phongs Zornesausbrüchen: Wenn der Sohn betrunken war, konnte ihn jede falsche Antwort zur Weißglut bringen. Daran dachte Vater, als Phong in einer dieser späten Nächte an seine Seite rückte. Der Sohn hatte vergebens auf die Geldanweisung aus Deutschland gewartet und roch nach Bier: „Ich habe Schulden. Wir müssen wieder zurück auf das Boot. Wir werden das Haus verkaufen."

Und so geschah es. Lange Zeit verriet mir Vater nicht die wahren Hintergründe dieses Handels. Wenn ich ihn fragte, lächelte er gequält. Jahre später erst sollte ich erfahren, daß Vater verzweifelt war und sich schämte – sprechen mochte er darüber nicht. Die Schande, die ihm seine Kinder brachten, empfand er als die eigene. Die Angst vor dem Gesichtsverlust ist ein asiatischer Wesenszug, den jeder billige Reiseführer zu erklären weiß. Selten aber habe ich eindrucksvoller erfahren, was er wirklich bedeutet. Mit unbeirrbarer Absolutheit, Würde und Selbstverleugnung lud der Vater die Last der Welt auf sich. Nichts konnte ihn davon überzeugen, daß nicht er schuld daran war, daß die Traditionen, die alten Werte und Weisheiten verraten wurden – so wie es Phong getan hatte.

In Vietnam gibt es kaum einen schlimmeren Makel als eine Familie, die nicht intakt ist. Das Kollektiv ist eines der Geheimnisse in diesem Land, wo jeder in eine Gemeinschaft hineingeboren wird und von Kindesbeinen an lernt, Verantwortung für den anderen zu tragen. Man teilt die Leidenschaften, die Siege, die Niederlagen. Unverzeihlich war es, daß Phong das gemeinsame Haus verkauft hatte – denn persönliche Interessen dürfen niemals die Familie gefährden. Viel eher muß man sie selbst verlassen; doch für diesen Rauswurf war der Vater, ein Mann ohne Beine und Autorität, viel zu schwach. Und das rächte sich: ein Kind nach dem anderen kündigte den Generationenvertrag.

Auch du also, Schwester Thê. Einst war sie wie Mutter: umsichtig im Haushalt, streng und verständnisvoll zu den jüngeren Geschwistern, deren Erziehung sie, wie es üblich war in solch einer Situation, mit übernommen hatte. Doch dann kam die Verwandlung. Thê begann zu rauchen und zu fluchen wie die derben Mädchen. Beim Kartenspiel verlor sie die Familienkasse, was nicht einmal die wildesten Zockerinnen fertigbringen. Mußte man sich darüber wundern, daß Thê nur einen

Mann abbekam, für den sie schon die zweite Frau war? Selbst die Worte der Wahrsagerin verloren ihre Macht. Thê beschloß, nach Saigon zu ziehen – eine jener Städte, die aus Tellerwäschern Millionäre macht.

Dort erwarten dich japanische Stereoanlagen, Hotels bis zum Himmel hinauf, Abenteuer an jeder Ecke und die Zugehörigkeit zur großstädtischen Elite. *The city never sleeps:* Man lacht, schreit und fährt Motorrad in dieser energiestrotzenden Metropole, selbst dann, wenn die ganze restliche Welt schläft. Unzählige Menschen haben in den letzten Jahren vom Umland und aus anderen Regionen ihren Wohnsitz nach Saigon verlegt. Kaum eine andere Stadt der Welt wächst derzeit so dramatisch schnell – und wenn es nach ihrem Anspruch geht, wird Saigon Anfang des nächsten Jahrtausends Asiens aufregendster Fixstern sein, noch vor Singapur oder Hongkong. Wer morgen nicht zu den *losern* gehören will, wird deshalb heute seine Koffer packen – *„go Saigon"* lautet die Zauberformel, die unzählige Glückssuchende anlockt. Wie meine Schwestern Thu und Hiên, die glaubten, nichts mehr in Hue verloren zu haben. Und vielleicht hatten sie ja recht: Was hätte denn Hiên erwarten sollen, mit einem unehelichen Kind im Bauch? Die letzten Tage vor der Niederkunft verbrachte sie im hintersten Winkel des Sampans, wo sie der Vater vor den giftigen Worten der Verwandten und Nachbarn schützte. Kaum war das Baby zur Welt gekommen, waren Hiên und Thu nach Saigon verschwunden.

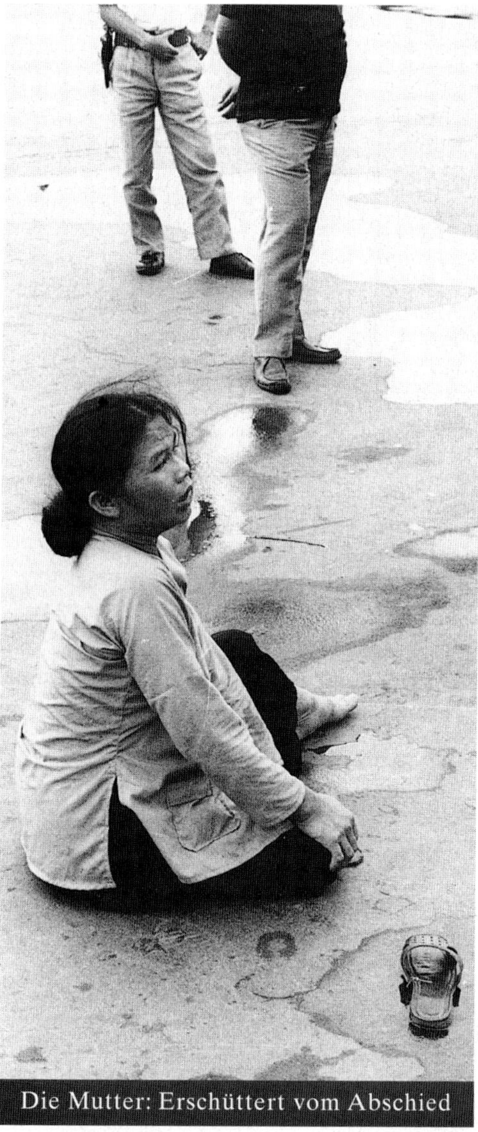

Phóng der Jüngere (sein Spitzname lautet „Teo", was soviel wie Dummkopf heißt) blieb mit Phong dem Älteren in Hue. Er weigerte sich, die ihm von Vater ausgewählte Frau zu heiraten. Lief davon (natürlich nach Saigon), direkt in die Arme einer Hure. Das Geld langte nur, um ihren Busen zu berühren – doch kaum wieder zurück auf dem Sampan, prahlte Phóng in aller Öffentlichkeit von seinen Mannestaten. Selbst nachts trug er seine neu erworbene Sonnenbrille, ein Ray-Ban-Imitat. Die Yuppies in Saigon hatten ihm gesagt, dies sei jetzt wahnsinnig schick.

Die siebzehnjährige Bé sollte eigentlich das erste Kind seit Thê sein, das wieder die Schule besucht. Thê erinnert sich noch gut, wie Mutter ihr damals verboten hatte zu schwänzen. Bé aber ließ sich bislang nicht einmal in der Klasse blicken. Statt dessen pumpte sie mit Hinweis auf den vermeintlichen Bürgen aus „Tay Duc" (West-Deutschland) Summen von 50 oder 100 Dollar, was zwei durchschnittlichen Monatsgehältern entspricht – weiß der Teufel, was sie damit anstellte.

Die drei Schwestern in Saigon haben inzwischen eine kleine Garküche eröffnet – Spezialität: gebackene Shrimps in kaltem Teig –, die ihnen ein Einkommen von jeweils 50 Dollar ermöglicht. Vor allem aber erleben sie in der Wunderstadt Dinge, von denen die Zurückgebliebenen in Hue nicht einmal zu träumen wissen – etwa, als sie das erste Mal mit einem Fahrstuhl fuhren und fürchteten, im nächsten Moment abzustürzen. Oder als Thê irgendwann zu telefonieren lernte, wobei sie anfangs nicht wußte, in welchen Teil des Hörers sie sprechen mußte. Einmal glaubten die drei beim Anblick einer Dusche, daß es sich dabei ebenfalls um ein Zaubergerät der Telekommunikation handle. Doch sie warteten vergebens auf Stimmen, während sie den Hebel auf Rot stellten. Kochendheißes Wasser verbrannte beinahe ihre nackten Füße.

Eigentlich aber, sagt Thu, würden sie gern wieder in Hue leben. Sie denkt an Vater, dem nur noch wenig Zeit bleibt. Daran, daß sie alle Streitereien vergessen möchte. Daran, daß ihr kein Ort einfällt, wo sie wirklich glücklich sein könne. Wenn Thu darüber nachdenkt, wohin sie gehört, befällt sie eine Traurigkeit, die sie stumm werden läßt.

Vielleicht ist es diese Melancholie, die uns eint. Ich meine, man braucht so viel Kraft für seine Lebensentwürfe, und am Schluß fehlt womöglich die Energie, an sie zu glauben. In meinen Phantasien gibt es keine weiße Villa mehr in Hue. Sie wird niemals gebaut werden, weil ich eine Klimaanlage bräuchte, um nicht an der vietnamesischen Hitze zu verzweifeln, ich bräuchte die Fußball-Ergebnisse am Wochenende und die tägliche Zeitung. Es mag nichts Schöneres geben, als auf der Veranda zu sitzen, jede Stunde schwarzen Tee aus Bao Loc zu schlürfen und Romane in den Laptop zu tippen – nein, diese Sehnsucht soll niemals wahr werden.

Auch meine Geschwister verloren ihre Zuversicht an jenem Tag, als ich in Hue auftauchte. Während ich glaubte, ihnen das Glück kaufen zu können, raubte ich ihnen den Stolz und die Selbstachtung, die man noch in sich fühlt, wenn man seine Träume mit eigener Arbeit verwirklichen kann. Vater ist viel zu zermürbt und entkräftigt, als daß man noch darüber mit ihm sprechen könnte. Es gibt nicht viele Menschen, mit denen ich überhaupt darüber reden könnte. Es gibt eine Frau, die mir zuhören würde, wir alle würden plötzlich viel mehr Mut haben, wenn wir in ihre sanften Augen blicken dürften. Ich würde gern noch einmal mit dir gesprochen haben, Mutter, fünf Minuten nur.

Die Mutter: Erschüttert vom Abschied

NGUYEN-LOAN BROSSMER, *geb. 1964 in Hue, wurde 1968 verwundet und später von einer Hilfsorganisation zur medizinischen Nachbetreuung nach Deutschland gebracht. 1975 adoptierte ihn eine Heidelberger Familie. Nguyen-Loan Brossmer arbeitet heute als freier Journalist in München.*

DIE TEMPEL DER UNTERGEGANGENEN KHMER-KAPITALE SIND DAS GEWALTIGSTE SAKRALE BAUWERK DER WELT. EIN FRÜHES ZEUGNIS GENIALER VOLLKOMMENHEIT, EIN ACHTES WELTWUNDER. INZWISCHEN IST ANGKOR FÜR DAS ZERRISSENE KAMBODSCHA WIEDER SYMBOL – DAS DER HOFFNUNG.

ANGKOR

SITZ DER GÖTTER

VON ANDREAS NEUHAUSER (TEXT) UND MARC RIBOUD (FOTOS)

GIPFEL DER KLASSIK: ANGKOR WAT – DIE VISION VOM HIMMEL AUF ERDEN

BEWEIS DER VERGÄNGLICHKEIT: DIE VEGETATION ÜBERWUCHERT DIE KULTUR

GESAMTKUNSTWERK ANGKOR

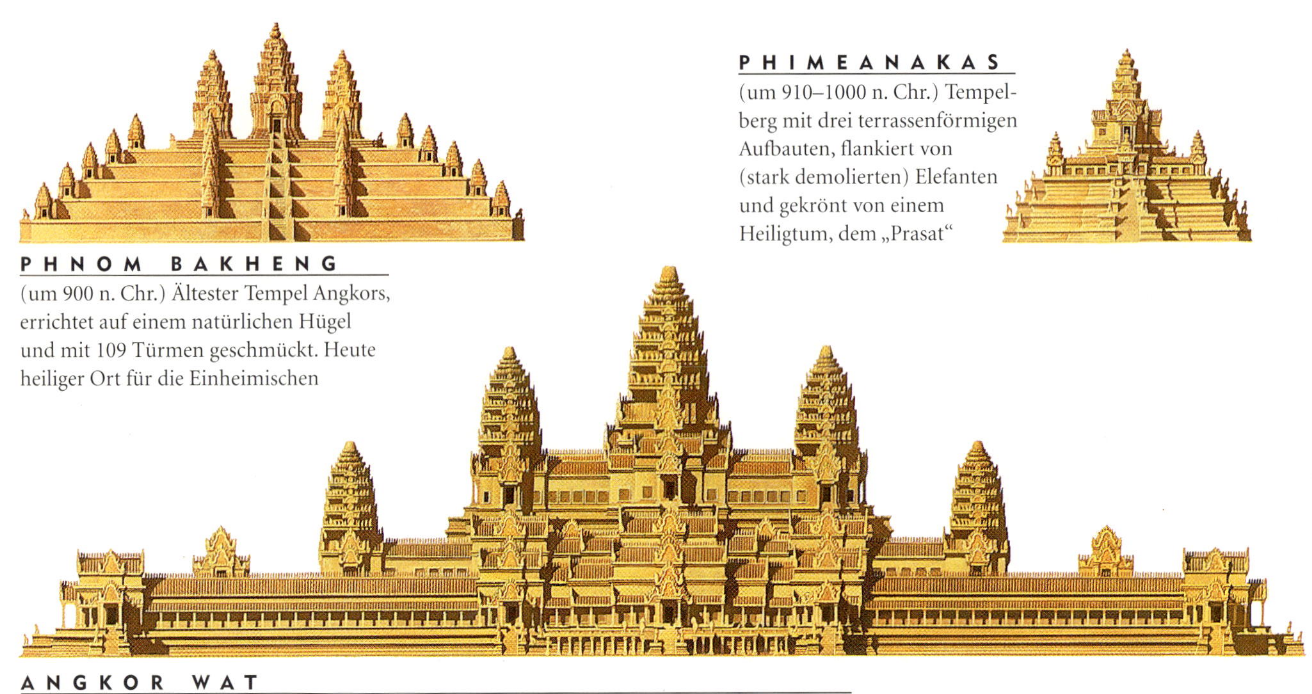

PHIMEANAKAS
(um 910–1000 n. Chr.) Tempelberg mit drei terrassenförmigen Aufbauten, flankiert von (stark demolierten) Elefanten und gekrönt von einem Heiligtum, dem „Prasat“

PHNOM BAKHENG
(um 900 n. Chr.) Ältester Tempel Angkors, errichtet auf einem natürlichen Hügel und mit 109 Türmen geschmückt. Heute heiliger Ort für die Einheimischen

ANGKOR WAT
(1113–1150 n. Chr.) Großartigste Schöpfung der Khmer, ein genaues Abbild des Makrokosmos. Der gesamte Tempelkomplex ist mit Steinreliefs bebildert. Aufwendig renoviert

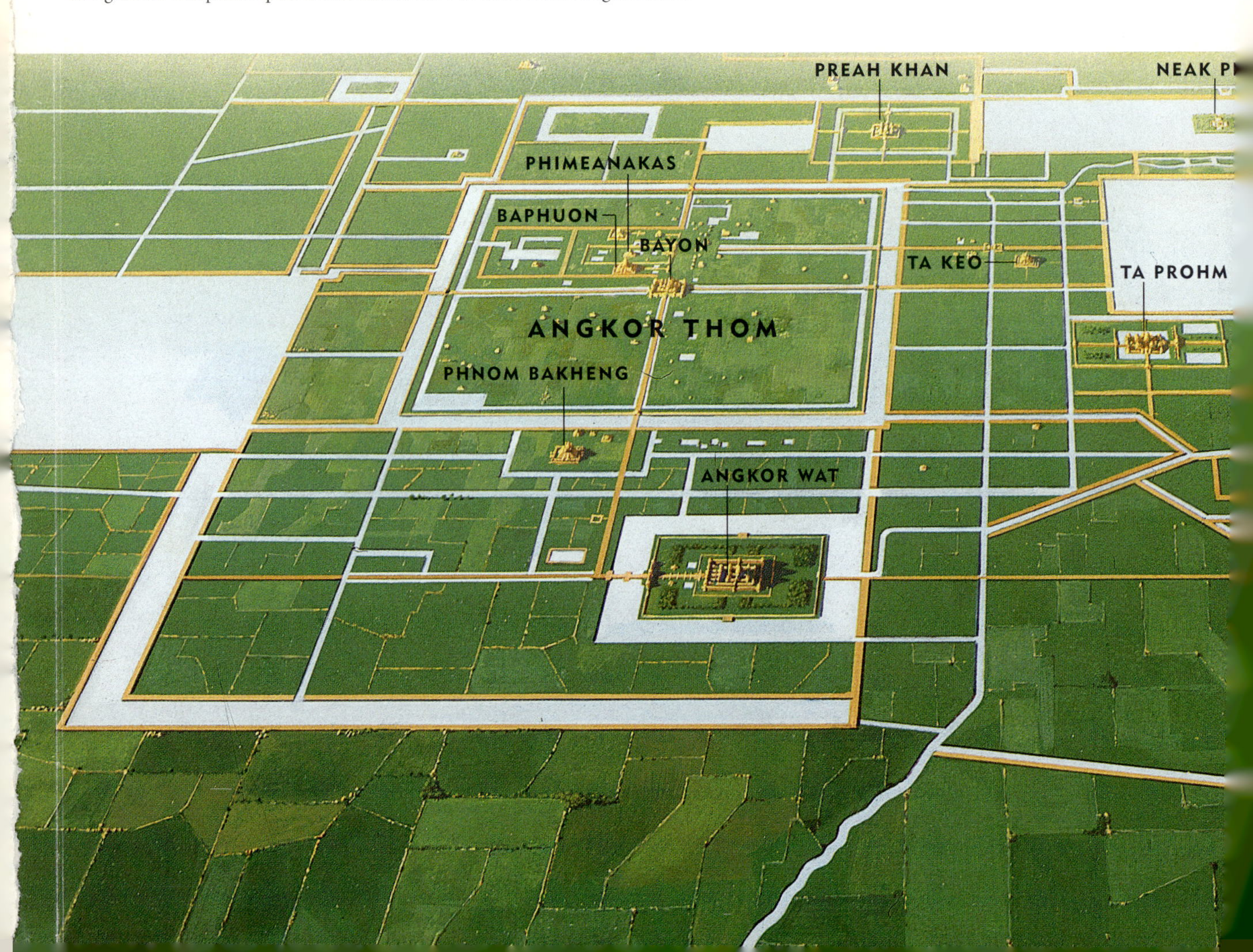

die architektonischen Anregungen aus Indien und schufen so ihren eigenen, den angkorianischen Stil.

MATRIZ DER WELT Über die Bedeutung der gewaltigen Tempelanlagen wurde lange gerätselt. Die Vermutung lag nahe, daß sie Residenzen waren. Doch die Paläste der Könige standen am Fuße der steinernen Monumente, waren aus Holz und sind längst verrottet. Die Tempel jedoch waren für die Ewigkeit gebaut, denn sie versinnbildlichten den Mittelpunkt des Universums, das Machtzentrum des Königs. Sie entsprachen in ihrer Bauweise und Symmetrie einer Miniaturausführung der indischen Vorstellung vom Aufbau der Welt.

Das höchste Heiligtum eines Tempels war der Turm im Zentrum, zu dem nur König und Oberpriester Zugang hatten. Es war einem der drei wichtigsten hinduistischen Götter (Brahma, Vishnu und Shiva) geweiht, die dort als Statue verehrt wurden. Starb der königliche Bauherr, vereinigte sich sein Geist mit dem der Gottheit, und er wurde somit selber zu einem Gott. Durch diese rituelle Symbiose, die nach seinem Tod gesetzmäßig stattfand, verfügte ein König in Angkor bereits zu Lebzeiten über universelle Macht. Er war Gottkönig (Devaraya-Kult).

Bassins und Wassergräben, die jede Tempelanlage umgaben, symbolisierten das Urmeer, das die Erde umgibt. Dahinter folgten, von hohen Außenmauern dargestellt, die Gebirgsketten. Im Zentrum des Universums stand der Berg Meru, Wohnsitz der hinduistischen Götter. Um dieser bildhaften Vorstellung so nahe wie möglich zu kommen, wurden die Tempel als Pyramiden oder auf künstlich aufgeschütteten Bergen errichtet.

AUF DAUER GEBAUT Die ersten Tempel bestanden überwiegend aus Backstein. Später benutzte man Laterit, einen porösen, eisenhaltigen Stein, der sich jedoch wegen seiner Härte nur als Fundament und nicht für feine Verzierungen an Türmen, Mauern und Portalen eignete. Nur mit dem Sandstein, der vom 40 Kilometer entfernten Berg Ku-

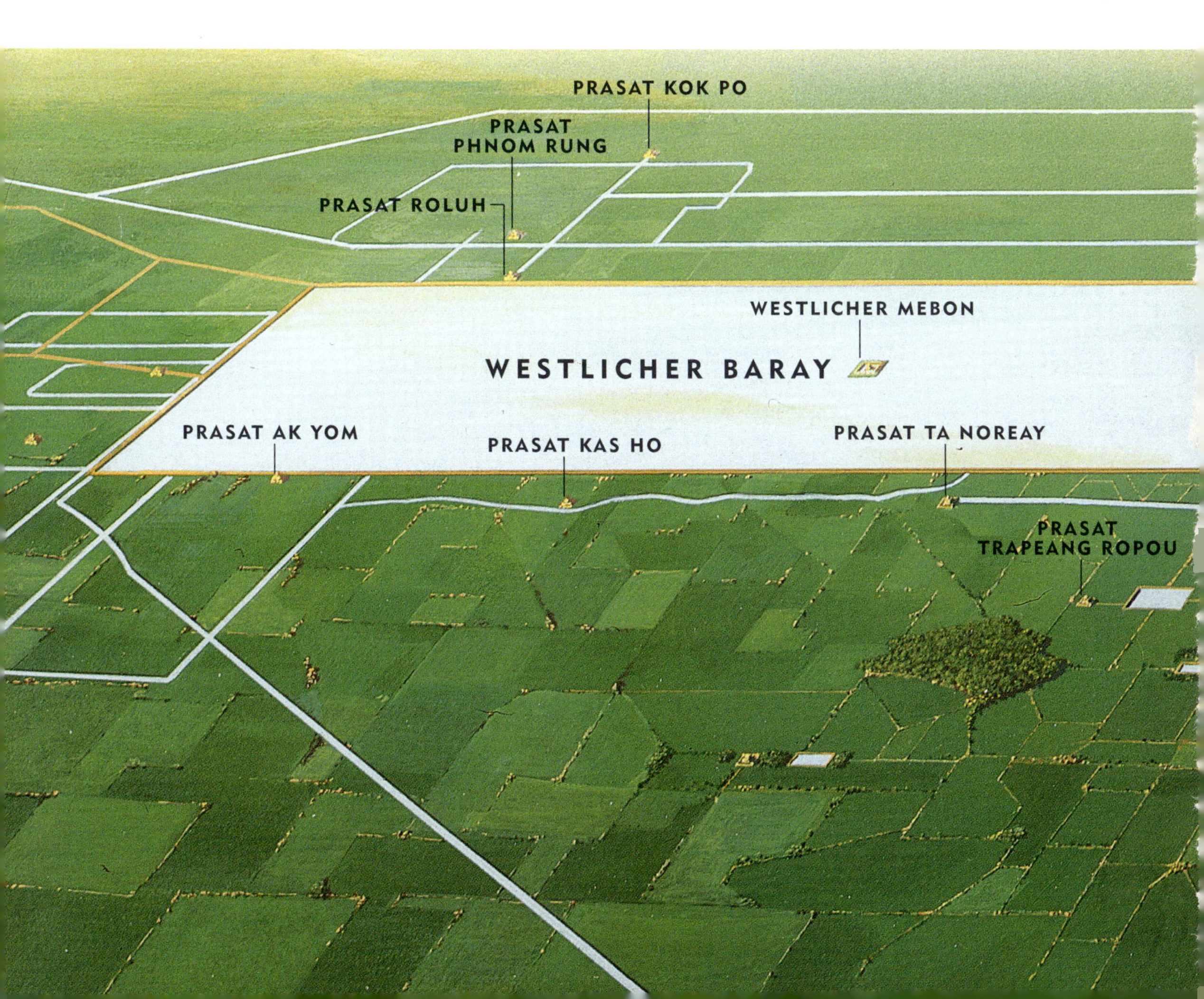

Angkor, einst Zentrum eines gewaltigen Imperiums und Wiege einer bis heute bewunderten Kultur, hat den gesamten südostasiatischen Raum beeinflußt. Eingebettet zwischen fruchtbaren Reisfeldern, archaisch anmutenden Dörfern und unzugänglichem Urwald, ragen auf einer Fläche von 200 km² 72 religiös inspirierte Bauwerke aus dem dichten tropischen Grün. Sie wurden zwischen dem 9. und 13. Jahrhundert erbaut und sind Relikte einer längst vergangenen Hochkultur, in der es Megastädte mit bis zu einer Million Einwohner gab. Es waren Bauwerke von unvorstellbarer Schönheit und absoluter Perfektion, ein auf Wasser gebautes Universum. Angkor ist das bedeutendste Kulturdenkmal Asiens.

DIE ENTDECKUNG Seit seinem endgültigen Untergang, Ende des 16. Jahrhunderts, wurde Angkor zweimal aus dem Dornröschenschlaf gerissen. Das erste Mal von französischen Abenteurern und Naturkundlern wie Henri Mouhot, der 1860 per Zufall auf die versunkene Zivilisation stieß. Von 1907 an unterstand die Region von Angkor der französischen Kolonialmacht, unter der die École Française d'Extrême Orient große Arbeit bei der Erforschung und Restaurierung der Tempel leistete. Dann, Anfang der siebziger Jahre, verschwand Angkor wieder im Chaos eines Bürgerkrieges. Das zweite Mal, 1992, erwachte die Tempelstadt im Anblick von 22 000 Soldaten der Vereinten Nationen, sie sollten Kambodscha Frieden bringen. Noch immer sind Teile des Landes politisch instabil, doch gilt Angkor als sicher. Als touristische Hauptattraktion Kambodschas werden die Tempel von der Armee bewacht, um die Touristen vor Überfällen der Roten Khmer, die sich in den nahen Urwald zurückgezogen haben, zu schützen.

DAS IMPERIUM Der Gründer von Angkor („Stadt“) war König Jayavarman II. (802–850). Ihm gelang es, das Konglomerat der vielen kleinen Khmer-Dynastien („Khmer“ gleich Volk der Kambodschaner) zu einigen und sich zum Alleinherrscher zu machen – seine Hauptstadt Hariharalaya gründete er dort, wo heute die Ruluos-Gruppe steht. Ihm folgte eine Reihe mächtiger Könige, die die Grenzen des Reiches immer weiter ausdehnten. Im Westen (dem heutigen Thailand) besiegten sie die Siamesen, im Osten (dem heutigen Vietnam) drängten sie das Volk der Cham zurück. Unter Suryavarman II. (1113–1150) erreichte das Angkorreich seinen kulturellen Höhepunkt. Besessen von dem Gedanken, ein Gottkönig zu sein, ließ er sich das größte Mausoleum der Zeitgeschichte bauen: Angkor Wat. Nach seinem Tod stürzten Thronstreitigkeiten und Bürgerkrieg das Reich ins Chaos, und Angkor wurde zur leichten Beute der Cham.

Mit Jayavarman VII. (1181–1218) kam noch einmal ein fähiger König an die Macht – er vertrieb die Feinde und machte Angkor zu einem der größten Imperien, die es jemals in Südostasien gab: Es reichte von der vietnamesischen Küste bis nach Birma, von Vientiane bis zur Nordküste der Malaiischen Halbinsel. Im Osten dieses kosmopolitischen Reiches hatte sich bereits der Buddhismus ausgebreitet und beeinflußte nun auch das Königshaus in Angkor. Von den humanitären Aspekten dieser Religion fasziniert, trat Jayavarman VII. vom Hinduismus zum Mahayana Buddhismus über. Doch trotz seiner für die damalige Zeit sozialen Politik waren zum Ende der Regierungszeit Jayavarmans VII. die menschlichen Ressourcen durch die vielen Kriege und die gewaltigen Anstrengungen beim Bau der Tempel so ausgelaugt, daß das Reich nicht mehr gegen die potenter werdenden Feinde gehalten werden konnte. Der Untergang begann.

DAS ERBE INDIENS Durch indische Händler und Seefahrer hatten die animistischen Khmer schon vor dem 5. Jahrhundert den Hinduismus kennengelernt. Mit der Religion fanden auch Architektur, Astrologie und Mathematik – in Indien damalig schon hoch entwickelt – Einzug in den Alltag der Khmer. Künstler und Baumeister perfektionierten

REAH KHAN

ım 1191 n. Chr.) Verschachtelter
ımplex aus Pavillons, Gängen, Heiligtümern
f einer Fläche von 50 Hektar – ein
t für Entdeckungen. Flachreliefs mit den
mmlischen Tänzerinnen (Apsaras)
ımücken den Haupteingang

PRASAT KRAVAN

(921 n. Chr.) Frühes hinduistisches Heiligtum mit Abbildungen von Shiva, Vishnu und Lakshmi, erbaut unter Harshavarman I. Ungewöhnlich die Anzahl seiner Türme (fünf)

BAYON

(um 1200 n. Chr.) Das Meisterwerk Jayavarmans VII. Beeindruckend sind die Flachreliefs und die über 200 steinernen Gesichter von Bodhisattvas. Das formenreichste wie komplizierteste Bauwerk Angkors ist halb Architektur, halb Skulptur

TA KEO

(um 1000 n. Chr.) Erster und bis auf das Fundament durchgängig aus Sandstein errichteter und unvollendet gebliebener Tempelberg – 50 Meter hoch, mit fünf Plateaus. Ein Beispiel der klassischen Khmer-Architektur

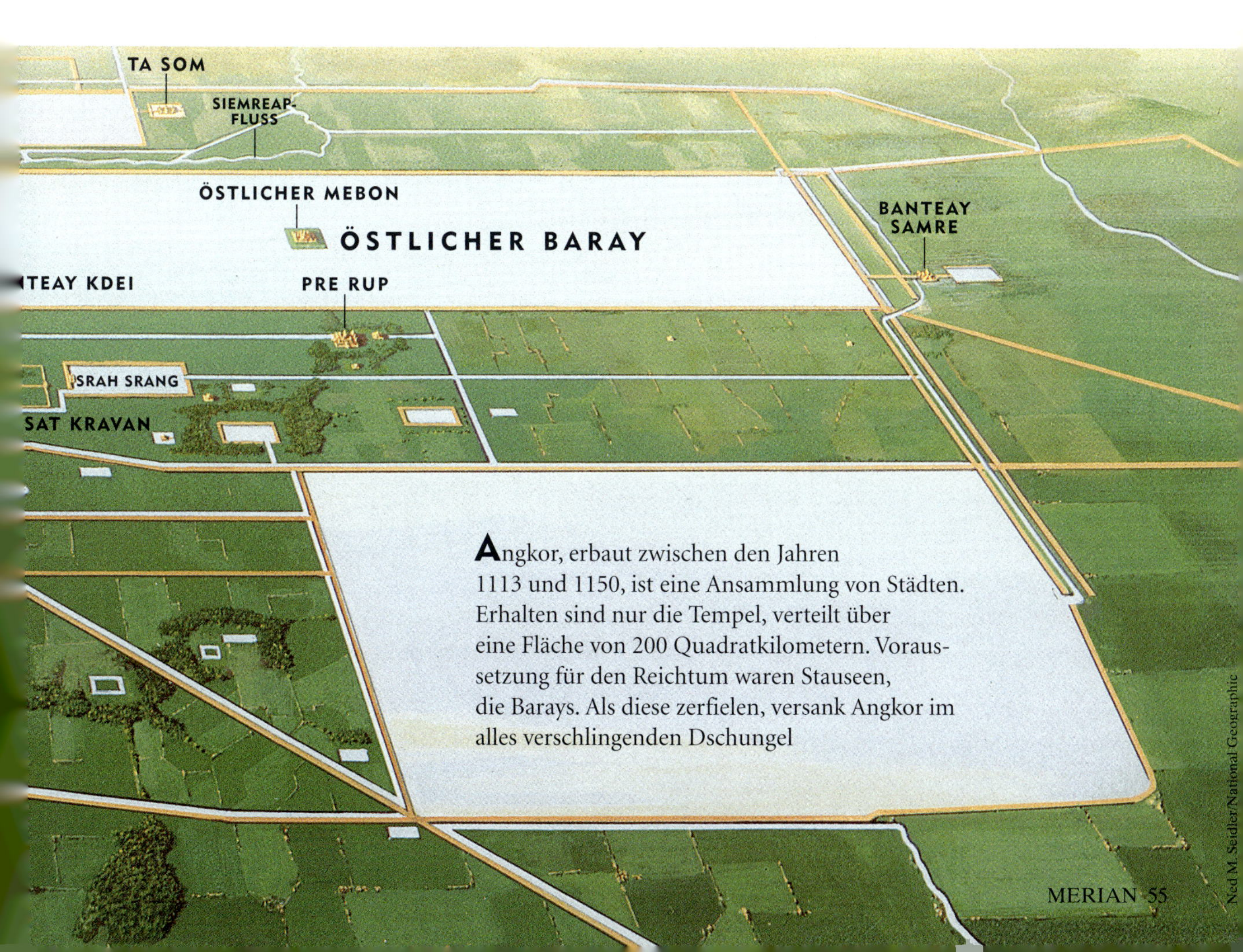

Angkor, erbaut zwischen den Jahren 1113 und 1150, ist eine Ansammlung von Städten. Erhalten sind nur die Tempel, verteilt über eine Fläche von 200 Quadratkilometern. Voraussetzung für den Reichtum waren Stauseen, die Barays. Als diese zerfielen, versank Angkor im alles verschlingenden Dschungel

len herantransportiert werden mußte, konnten die Steinmetze ihre Kunst zur Perfektion bringen. Die fertiggestellten Tempel wurden mit Statuen aus Stein und Bronze bestückt, die Mauern mit reichlich verziertem Stuck dekoriert, und von den Dächern glänzten bunt glasierte Ziegel.

AGRARREVOLUTION Voraussetzung für die hoch entwickelte Zivilisation von Angkor war die Beherrschbarkeit der Wassermassen, mit denen der Monsun das Land überflutet. Dafür ließen die Könige gewaltige Staubecken (barays) ausheben, in denen das Wasser aufgefangen wurde. Das größte Reservoir, der Westliche Baray, hatte eine Fläche von 17 Quadratkilometern und ein Fassungsvermögen von 40 Millionen Kubikmetern. Durch ein bis ins Detail ausgeklügeltes Kanalsystem konnten nun die Felder ganzjährig bewässert und bestellt werden, was zu drei anstelle von einer Reisernte führte. Die Folge dieser Nahrungsmittelüberproduktion war eine Bevölkerungsexplosion. Sie machte ein Heer von Arbeitskräften verfügbar, die als Soldaten, Arbeiter, Handwerker, Wissenschaftler, Künstler und Priester zur Machterhaltung und zur kulturellen Entwicklung des Reiches eingesetzt werden konnten.

NIEDERGANG Ende des 16. Jahrhunderts wurde Angkor als Hauptstadt aufgegeben. Am gnadenlosesten wütete nun alsbald die Natur; die feinen Wurzeln der Urwaldriesen krochen in die Fugen der Bauwerke und sprengten so selbst meterdicke Mauern. Kaum waren die Würgefeigen und Kapok-Bäume groß, fielen sie den jährlichen Monsunstürmen zum Opfer und rissen dabei die Tempel mit sich. Den Rest erledigte der Regen, der die Fugen auswusch und das Mauerwerk unterhöhlte.

Die Menschen begannen sofort mit der Plünderung. Der bekannteste Kunstdieb in unserer Zeit war André Malraux: Als Kultusminister unter De Gaulle wurde er ertappt, wie er einige Flachreliefs im Tempel Banteay Srei stehlen wollte, um sie in Frankreich zu verkaufen. Der Nationalismus der Roten Khmer war der beste Schutz vor den ansonsten vandalistisch wütenden Anhängern Pol Pots, und so wurde in der Zeit ihres Horrorregimes relativ wenig zerstört. Heute droht die größte Gefahr von organisierten Banden, die im Auftrag internationaler Antiquitätenmafiosi arbeiten. Interessenten wählen ihre Objekte per Foto oder Videoaufnahmen aus, so können die Kunsträuber gezielt zuschlagen.

HÖHEPUNKTE Trotz des fortgeschrittenen Verfalls ist der Anblick der Tempel überwältigend. Die mystischen Monumente, die wie Saurier im wild wuchernden Grün des kambodschanischen Urwaldes liegen, haben seit ihrer Entdeckung durch Mouhot nichts an Faszination eingebüßt. Um die Zeugnisse der Angkorperiode für die Nachwelt zu erhalten, arbeiten seit 1992 wieder Organisationen wie Unesco, World Monuments Fund und League daran, weitere Schäden zu vermeiden oder bereits Verfallenes zu restaurieren.

Wer die Einsamkeit sucht, findet in Preah Khan ein Labyrinth aus Galerien, die zur Meditation einladen. Das Nebeneinander von antiken Heiligtümern und buddhistischen Pagoden fasziniert bei einem Besuch der Bakong und Lolei (Roluos Gruppe). Im Srah Srang, dem „Königlichen Schwimmbad“ von Jayavarman VII. (700 Meter lang, 300 Meter breit), blühen Tausende von Lilien und Seerosen. Touristische Kulthandlung ist die Ansicht des Sonnenuntergangs auf dem Hügel Phnom Bakheng; von hier aus erscheint die Landschaft als ein magisches Bühnenbild: schachbrettartige Reisfelder, schlanke Zuckerpalmen und verzweigte Kanäle, silbrige Bäche und Seen; im Südosten strahlen die fünf Türme von Angkor Wat im abendlichen Tropenhimmel, und im Süden glitzert silbern am Horizont der Tonle Sap, der größte südostasiatische See, der als eines der fischreichsten Gewässer der Erde gilt. Die unbestrittenen Favoriten Angkors aber sind Angkor Wat, Bayon und Ta Prohm.

KOLOSSALES DEKOR: TA SOM – RENAISSANCE DER GÖTTLICHEN PRÄSENZ

BAROCKE OPULENZ: ANGKOR THOM – DAS MEISTERWERK DER SYMBOLIK.

EE DER STEINDÄMONEN IST EINE ALLEGORIE AUF DIE WELTERSCHAFFUNG

ANGKOR WAT, Gipfel der Klassik – Es ist das größte sakrale Bauwerk der Erde und das am aufwendigsten restaurierte Monument in Angkor. Seine perfekte Symmetrie, die sich harmonisch in die Umgebung einfügt, gilt als Höhepunkt der angkorianischen Architektur. Suryavarman II. ließ den Tempel als sein Grabmal errichten und weihte ihn dem Gott Vishnu. Nach der Abkehr vom Hinduismus, Ende des 12. Jahrhunderts, wurde Angkor Wat zu einem buddhistischen Heiligtum. Wo vor 800 Jahren noch brahmanische Priester Zeremonien abhielten, sitzen heute verarmte Frauen und Männer vor Buddhastatuen und warten auf Touristen und Pilger, um ihnen für ein paar Riel die Zukunft vorherzusagen.

Kunsthistorische Sensation sind die Flachreliefs, die die Innenwände der Außengalerie des Tempelberges schmücken. Die filigranen, zwei Meter hohen und insgesamt 800 Meter langen „Fresken in Stein" gelten als die längsten zusammenhängenden Flachreliefs der Welt. Die Geschichten dieser steinernen Wandzeitung erzählen von den mythischen Heldentaten des Königs Suryavarman II., vom Leben am Königshof sowie von Krishna und Rama, den Helden der indischen Epen Mahabharata und Ramayana.

DER BAYON, schönster Schwanengesang der Khmer-Welt – Bei seiner Entdeckung glich der Bayon einem verwilderten Steinbruch; dem Einsatz französischer Restaurateure ist es zu danken, daß er heute wieder im alten Glanz erstrahlt. Jayavarman VII. ließ den Bayon Ende des 12. Jahrhunderts erbauen als kosmologischen Mittelpunkt seines Reiches und Zentrum seiner Hauptstadt Angkor Thom. Die 54 Türme mit den mehr als zweihundert versteinerten Gesichtern haben die Archäologen lange rätseln lassen. Heute weiß man, daß es sich um einen Bodhisattva handelt, einen buddhistischen Heiligen, der auf die höchste Stufe der Erleuchtung, den Eintritt ins Nirvana, verzichtet, um auf Erden bleiben zu können und den Menschen mit seinem Wissen zur Seite zu stehen. Auch im Bayon verzieren eindrucksvolle Flachreliefs die Außengalerie. Die interessantesten Szenen geben Einblick in das tägliche Leben der alten Khmer, das sich auf dem Land in den letzten 800 Jahren kaum verändert zu haben scheint.

TA PROHM, Triumph der Natur – Der Tempel steht noch genauso da, wie ihn die ersten europäischen Entdecker vor mehr als 130 Jahren vorgefunden hatten. Damals entschlossen sich die Archäologen, den Tempel nicht zu restaurieren und dieses von der Natur geschaffene Kunstwerk sich selbst zu überlassen. Ta Prohm ist ein Flachtempel, Ende des 12. Jahrhunderts erbaut und der Mutter von Jayavarman VII. geweiht. Er diente als buddhistisches Kloster, in dem laut einer im Inneren gefundenen Sanskritinschrift 18 hohe Priester, 2700 Mönche, 600 Tänzer und 12 000 Bedienstete gelebt haben, die für das geistige Wohl des letzten großen Königs von Angkor verantwortlich waren.

Trotz des aufwendigen Einsatzes der Vereinten Nationen bleibt der Friede in Kambodscha unsicher. Der inzwischen 72jährige König Sihanouk, die einzige Integrationsfigur Kambodschas, hat keine Armee und wenig Macht, die Korruption der Politiker und des Militärs ist bodenlos, und die Roten Khmer, die die unzugänglichen Gebirgsregionen kontrollieren, bereiten den schlecht besoldeten und unmotivierten Soldaten der königlichen Armee immer wieder empfindliche Niederlagen. So ist Angkor zum Über-Ich des Volkes geworden. Der Gedanke an die übermenschlichen Taten ihrer Vorfahren bewahrt die Menschen heute davor, nicht in Agonie zu versinken. Angkor ist das Wahrzeichen und der Stolz Kambodschas.

ANDREAS NEUHAUSER, *geb. 1960, kennt alle Winkel Kambodschas. Ergebnis seiner vielen Reisen ist ein 1994 erschienener Kambodscha-Reiseführer.*

MARC RIBOUD, *geb. 1923, wurde bekannt durch seine Fotos aus Südostasien. Er lebt in Paris.*

NEUES KUNSTWERK: TA PROHM – ZUSAMMENSPIEL VON KULTUR UND NATUR

VOM LEBEN IN

Von 1296 bis 1297 begleitete der Chinese Zhou Daguan eine Gesandtschaft in das damalige Reich der Khmer, seine Notizen sind die einzigen aus der Blütezeit Angkors im 13. Jahrhundert. Ganz in der Tradition früher chinesischer Reisender bemühte er sich um objektive und klare Darstellung. Eine erste Übersetzung verfaßte 1924 der Franzose Paul Pelliot. Die folgende Zusammenfassung basiert auf der neuesten chinesischen Überarbeitung, die in dieser MERIAN-Ausgabe erstmalig in der Übersetzung von Walter Aschmoneit und Eva Ströber publiziert wird

BEWOHNER

Die Bewohner sind groß, häßlich, sehr schwarz und benehmen sich wie die Barbaren des Südens. Unter den Damen des Palastes und den Frauen der Edlen allerdings gibt es viele, deren Haut weiß wie Jade ist, doch nur deshalb, weil sie sich nie der Sonne aussetzen. Die einzige Bekleidung für Frauen wie Männer ist ein Stück Stoff, das sie um die Hüfte gürten und das ihre Brust unbedeckt läßt. Alle gehen barfuß, selbst die Frauen des Herrschers. Dieser besitzt fünf Gemahlinnen – eine im zentralen Gebäude und vier in den vier Gebäuden der Himmelsrichtungen. Was Konkubinen und Palastmädchen betrifft, so gibt es angeblich drei- bis fünftausend, die wiederum in Klassen unterteilt und nur selten im Palast sind. Jedesmal, wenn ich in den Palast ging, sah ich den Herrscher mit seiner ersten Gemahlin heraustreten und sich in die Umrahmung des goldenen Fensters im Hauptgebäude setzen – dabei waren die Palastdamen alle zu beiden Seiten der Veranda unter einem goldenen Fenster angeordnet: Sie stützten sich auf den Sims, um uns besser beobachten zu können. Tiefer in der Hierarchie stehen jene Frauen, die den täglichen Palast-Dienst verrichten. Es sind mindestens ein- oder sogar zweitausend, alle sind verheiratet und leben im Palast wie auch inmitten des Volkes. Sie sind daran zu erkennen, daß sie sich ihre Haare auf der Stirn abrasieren, diese Stellen reiben sie mit Zinnober ein wie auch beide Schläfen.
Alle, vom Herrscher angefangen, Männer wie Frauen, tragen das Haar zum Knoten gebunden; die einfachen Frauen jedoch ohne Haarnadel, ohne Kamm oder jeden Kopfschmuck. Ihre Arme schmücken sie mit goldenen Reifen, ihre Finger mit goldenen Ringen – selbst die Palastmädchen und -damen tragen Ringe und Reifen. Männer und Frauen benutzen Parfüm aus Sandelholz, Moschus und anderen Essenzen. Die Kinder treiben sich in Cliquen von zehn und mehr auf dem Markt umher und versuchen, die Chinesen auf sich aufmerksam zu machen, um so an Geschenke zu kommen. Solch Verhalten ist gräßlich und unwürdig.

KLEIDUNG

Der gesellschaftliche Rang schreibt die Bekleidung vor. Unter den Stoffen, die der Herrscher trägt, gibt es einige, die drei bis vier Unzen Gold wert und von außergewöhnlicher Feinheit wie Pracht sind. Und obwohl man im Land selbst Stoffe webt, werden einige aus Siam und Champa importiert, doch die begehrtesten, weil am feinsten gewebt, kommen aus Indien.
Nur der Herrscher darf sich in Stoffe mit fortlaufenden Mustern gewanden. Sollte er sein Haupt nicht mit einem goldenen Diadem schmücken, so rollt er eine Girlande aus duftenden Blumen, die an Jasmin erinnern, in seinen Haarknoten. Seine Handgelenke, Knöchel und Finger behängt er mit Ringen und Reifen aus Gold, in denen Katzenaugen gefaßt sind. Auch er trägt keine Schuhe und seine Fußsohlen und Handflächen sind rot gefärbt vom Saft einer Pflanze. Geht er aus, trägt er einen goldenen Degen.
Nur den Frauen im gemeinen Volk ist es erlaubt, gleich dem Herrscher Fußsohlen und Handflächen zu färben – Männer würden dies nie wagen. Hohe Beamte und Fürsten dürfen Stoffe mit unterbrochenem Muster tragen, unter den einfachen Leuten wiederum nur die Frauen. Kleidet sich allerdings einer der zugewanderten Chinesen in Stoffe mit zwei Mustern, so wird man nicht wagen, ihm daraus einen Vorwurf zu machen: Er ist ein *an-dingba-sha,* einer, der die Regeln nicht kennt.

EINGEWANDERTE

Die meisten Chinesen, die hier leben, sind als Seefahrer gekommen und geblieben, weil dies ein bequemes Land ist: Man muß sich hier nicht bekleiden, es ist leicht, seinen Reis zu verdienen, Frauen zu finden, Häuser zu bauen, sie einzurichten und Handel zu betreiben. Der Zustrom desertierter Seeleute reißt deshalb nicht ab.

HANDEL

In diesem Land betreiben die Frauen den Handel. Wenn also ein Chinese, der sich dort niederlassen will, zuallererst eine dieser Frauen heiratet, dann deswegen, weil er auch von ihrem Talent zu handeln profitiert. Jeden Tag ist Markt. Er beginnt um fünf Uhr in der Früh und ist mittags zu Ende. Läden, in denen man wohnt, gibt es nicht, dafür sitzt man auf Matten zu ebener Erde. Jeder hat seinen festen Platz, für den man angeblich den Behörden Pacht zahlen muß. Kleinere Käufe werden mit Reis, Getreide und chinesischen Gegenständen bezahlt, größere mit Stoffen, bei

ANGKOR VOR 700 JAHREN

ganz großen wird Gold und Silber verlangt. Früher waren die Menschen hier sehr naiv; sobald sie einen Chinesen sahen, verneigten sie sich, knieten nieder, beugten ihre Stirn zur Erde, denn sie hielten ihn für einen „Unsterblichen". Jetzt aber haben sie sich geändert; sie verhalten sich den Chinesen gegenüber hochmütig und täuschen sie arglistig. Ursache dafür ist die große Zahl der chinesischen Einwanderer.

BADEN

Das Klima ist schrecklich heiß, und ohne täglich mehrmals zu baden, könnte man es hier nicht aushalten. Selbst in der Nacht geht man ein- oder zweimal ins Wasser. Es gibt weder Badehäuser noch Schüsseln und Eimer, aber jede Familie besitzt ein Becken oder teilt es sich mit ein oder zwei anderen. Alle, Männer wie Frauen, baden nackt. Wenn der Vater, die Mutter oder betagte Leute das Becken nutzen wollen, dann halten sich Kinder und junge Leute fern. Unter Gleichaltrigen jeglichen Geschlechts gibt es keine Scham; die Frauen bedecken ihr Geschlecht mit der linken Hand, das ist alles.

Jeden dritten oder vierten Tag der Woche gehen die Frauen aus der Stadt in kleinen Gruppen zum Fluß. Dort legen sie ihren Stoff ab und steigen ins Wasser. Zu Tausenden stehen sie so zusammen im Fluß – selbst Frauen aus edlen Häusern sind darunter, ein jeder kann sie von Kopf bis Fuß betrachten. An den arbeitsfreien Tagen lieben es die Chinesen, dort zum Schauen hinzugehen. Ich habe auch gehört, daß einige von ihnen ins Wasser gehen und die Gelegenheit nutzen. Das Wasser selbst ist so warm, als hätte es auf der Feuerstelle gestanden; nur um die fünfte Wache herum kühlt es etwas ab. Doch sobald die Sonne aufgeht, erhitzt es sich von neuem.

DER HERRSCHER

Der neue König ist der Schwiegersohn des alten Herrschers. Ursprünglich leitete er die Truppen, doch als sein Schwiegervater starb, entwendete die Tochter heimlich den Degen des Vaters und gab ihn ihrem Gatten, so daß der leibliche Sohn nicht die Nachfolge antreten konnte. Dieser wiederum versuchte die Truppen auf seine Seite zu ziehen. Als der König davon erfuhr, schnitt er ihm die Zehen ab und sperrte ihn ein.

Das Haupt des Herrschers ist unverletzbar, selbst Messer und Pfeile können ihn nicht verwunden. Seitdem er sich dessen bewußt ist, wagt er auch auszureiten. Ich habe über ein Jahr in diesem Land gelebt und sah ihn in dieser Zeit vier- oder fünfmal: An der Spitze des Zuges marschieren Soldaten, ihnen folgen Standarten- und Wimpelträger sowie Musikanten. Dann die dreihundert oder auch fünfhundert Palastmädchen, gewandet in Stoffen aus Blumenmuster, mit Blumen im Haar und Kerzen in den Händen, die selbst am hellichten Tag brennen. Einige dieser Mädchen tragen die königlichen Gerätschaften, die aus Gold und Silber sind, und Schmuckstücke besonderer Form, deren Verwendung mir nicht bekannt ist. Eine zweite Mädchengruppe trägt Lanzen und Schilde. Dies ist die private Palastgarde. Anschließend kommen goldgeschmückte Ziegen-, Hirsch- und Pferdegespanne, Minister und Fürsten reiten auf Elefanten, und schon von weitem kann man ihre unzähligen roten Schirme erkennen. Ihnen folgen in Sänften und Wagen, zu Pferd als auch auf Elefanten und von goldbestickten Schirmen beschützt, die Frauen und Konkubinen des Königs. Und dann endlich der Herrscher. Er steht auf einem Elefanten, dessen Stoßzähne mit Gold überzogen sind, und hält seinen kostbaren Degen in der Hand. Mehr als zwanzig goldbestickte Schirme mit goldenen Griffen beschützen ihn vor der Sonne, Elefanten drängen sich um ihn, eine Leibgarde bewacht ihn. Möchte der Herrscher nur in einen nahen Nachbarort, so benutzt er lediglich eine Sänfte, die von Palastmädchen getragen wird; meist besucht er bei solchen Anlässen einen bestimmten kleinen goldenen Turm, vor dem eine goldene Buddhastatue steht. Jeder, der den König erblickt, hat niederzuknien und muß die Erde mit der Stirn berühren – das heißt *san-ba.* Wer es unterläßt, wird von den Ordnungshütern ergriffen und muß für seine Freilassung zahlen.

Zweimal am Tag hält der Herrscher Audienz. Es gibt keine festgelegte Tagesordnung; Beamte, Leute aus dem Volk setzen sich auf die Erde und warten auf den König. Vor seinem Auftritt wird im Palast Musik gespielt, draußen zum Gruß auf Muschelhörnern geblasen. Zu diesem Anlaß soll, so sagt man, der König in einer goldenen Sänfte erscheinen, er kann also nicht von weither kommen. Kurz darauf sieht man zwei Palastmädchen mit zierlichen Fingerbewegungen den Vorhang heben, und man sieht den Herrscher mit seinem Degen in der Hand am goldenen Fenster stehen. Sofort legen die Besucher die Hände aneinander und neigen ihre Stirn in der beschriebenen Weise. Sobald die Muschelhörner verstummen, dürfen sie ihren Kopf heben, anschließend setzt sich der Herrscher. Sind die anstehenden Angelegenheiten abgeschlossen, kehrt er zurück. Die beiden Palastmädchen lassen den Vorhang wieder fallen, ein jeder erhebt sich. An diesem Zeremoniell ist zu erkennen, daß die Bevölkerung sehr wohl weiß, was ein Herrscher ist. Obwohl sie doch Barbaren sind.

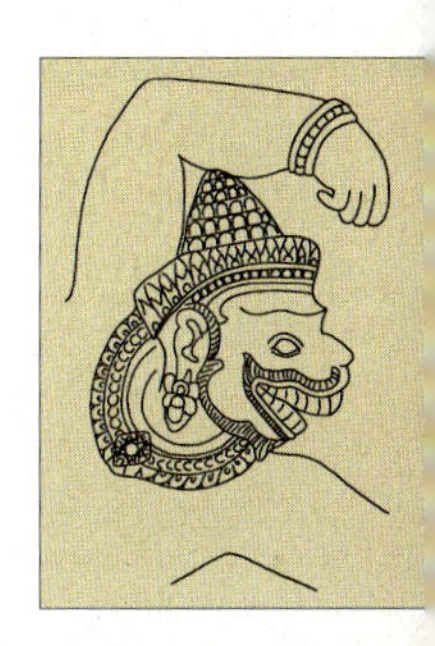

WALTER ASCHMONEIT, *Dr. phil., Soziologe und Sinologe, lehrt an der Universität Osnabrück. Zahlreiche Veröffentlichungen zu Kambodscha.*

EVA STRÖBER, *Jahrgang 1950, Dr. phil., Spezialistin für ostasiatische Kunstgeschichte, ist Mitarbeiterin am Museum für Ostasiatische Kunst in Köln.*

FREMDES SCHLOSS

Kein Schloß zu sehen?
Kann Ihnen mit dem Mazda 626 nicht passieren.
Sein Fahrertürschloß ist nachts beleuchtet.
Eine echte Sehenswürdigkeit.

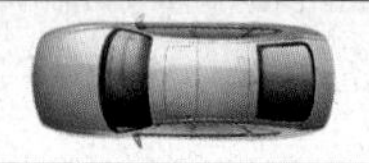

MAZDA 626

Tja, die einen haben es, die anderen nicht. Während Ihnen das Türschloß eines ganz normalen Mittelklassefahrzeugs das dunkle Rätsel aufgibt, wo es sich denn gerade versteckt hält, leuchtet das Fahrertürschloß des Mazda 626, sobald man an seinem Griff zie Auch nach dem Öffnen der Tür bringt ein Mazda 626 auf ange nehme Weise Licht ins Dunkel: Einstiegsbeleuchtung in den vo deren Türen, das Zündschloß schimmert phosphorgrün und d

REMPEN & PARTNER

BEI NACHT.

erienmäßigen Leselampen im GLX erleichtern die nächtliche artenlektüre. Und noch etwas sorgt dafür, daß der Mazda 626 as finstere Mittelalter in der oberen Mittelklasse weit hinter ch läßt: seine Außenbeleuchtung. Denn er kommt Ihnen mit Scheinwerfern in Ellipsoidtechnik entgegen. Spätestens dann sehen Sie den Mazda 626 mit anderen Augen – selbst wenn Sie gar keinen fahren. Aber was noch nicht ist, kann ja noch werden.

Jetzt anrufen: 0130/626-0.

mazda WIR FAHREN VOR.

Delikate Grundnahrungsmittel: Wachtel-, Enten- und Hühnereier

Von Nguyen Tien-Huu und Robert van der Hilst (Fotos)

DER SINN DES LEBENS

Für die Vietnamesen bedeutet Essen zugleich Überleben und Fortpflanzung. Essen und Trinken sind die wichtigste Beschäftigung, das Ziel des Lebens: man ißt, um zu leben, und bleibt dabei stets in Verbindung mit allen Mitgliedern der Sippe – mit den verstorbenen Ahnen, den lebenden Verwandten und dem zukünftigen Nachwuchs. Die stete Sorge, in einem verknappten, kargen Lebensraum Hunger zu leiden, in einem Land, das zweitausend Jahre lang Krieg führte, satt zu werden, hat den Charakter der Vietnamesen geformt.

In Deutschland fragt man „Wo arbeiten Sie?" In Vietnam wird die gleiche Frage so formuliert: „Wo arbeiten und essen Sie?" *(lam an o dau?)* „Die Sorge um eine Reisschale", so der Ethnologe und Missionar Leopold Cadière, „verfolgt den Vietnamesen nicht nur in seinem diesseitigen Leben, sondern auch noch in seinem künftigen." Cadières These ist zugleich Interpretation des vietnamesischen Sprichwortes:

„Essen des Parfüms wegen" (Opfergabe für Ahnen im Jenseits)

„Essen, um satt zu werden" (Um Hunger zu stillen im Diesseits).

Diese Weltanschauung entspricht der alten sino-vietnamesischen Schreibweise von „Essen":

咹 = Mund zum Sattessen, und zu leben,

安 = Frieden und Harmonie mit den Ahnen.

Essen also aus Sorge um männliche Nachkommen und zur Sicherung der Ahnenopfer. Darum heißt die Erbschaft für den ältesten Sohn auch *phan huong hoa* (Feuer-Opfergabe-Erbschaft). Denn Opfergaben bestehen in Vietnam nicht nur aus Weihrauch und Kerzen, sondern auch aus allerlei gekochten Gerichten und Früchten des väterlichen Gartens.

Für den Archäologen Olov Jansé, einen Experten der vietnamesischen Kulturgeschichte, ist Vietnam „der Treffpunkt der Völker und der Zivilisationen". Seine geographische Lage hat das Land zur Drehscheibe verschiedener Kulturen gemacht. Vietnam lag im Mittelpunkt langer, kriegerischer Auseinandersetzungen und galt seit früher Zeit als Durchgangsstation für den Handel zwischen China und Indien. Diese beiden uralten Kulturen der Welt haben Vietnam und die vietnamesische Küche beeinflußt: eine Küche mit vielerlei Beilagen und üppigen Zutaten, die höchste Perfektion, minutiöses Arbeiten und große Fingerfertigkeit erfordert.

Fleisch muß zart sein: Junge Hühnchen

...IST DAS ESSEN

咹

Aromatische Kräuter und Gewürze wie Zitronengras, Chili, Koriander, Knoblauch sind auch für Straß

Mâm com, Reis-Tisch, heißt „Mahlzeit“

Dies ist die Hinterlassenschaft Chinas. Beispiele dafür sind Speisen, die gedämpft, gebacken, gegrillt und gesimmert werden. Die kosmisch-erotische Küche dagegen, mit ihren vielen religiösen Elementen und kultischen Handlungen, die von Mythen, Legenden und Märchen geprägt ist, wurde von Indien inspiriert. Die Ethno-Küche, von extremer Einfachheit, aber reich an Erfindungsgeist und geduldigem Fleiß – eine Küche der Armut und des Überlebens – entstammt eigenen Wurzeln. Diese einheimische Küche schöpft ihre Inspiration aus dem Indonesischen (im ethnologischen, nicht geographischen Sinne) und der austro-asiatischen Kulturen, zu denen die Ureinwohner und die zahlreichen Naturvölker Vietnams gehören. Schließlich hat auch die raffinierte Grande Cuisine Frankreichs während der Kolonialzeit die traditionelle Küche Vietnams verfeinert, damals, als man Gouverneuren, Bischöfen und reichen Feinschmeckern auftischen mußte.

Doch die ungünstigen geographischen und klimatischen Bedingungen, die vielen Deichbrüche, Dürren und Pestseuchen sowie der andauernde Kriegszustand haben die vietnamesische Küche zu einer Küche der Armen gemacht, zu einer Küche der Not. Diese ständige Sorge ums Überleben zwang die Bauern und Arbeiter, die fast immer in tiefster Armut lebten, zu harter Arbeit und zu Erfindungsreichtum: aus minimalen Zutaten mußte in sehr kurzer Zeit das Bestmögliche gezaubert werden. „Not macht erfinderisch“ lautet ein vietnamesisches Sprichwort. In dieser bäuerlichen Küche der Massen steckt der Geist des Widerstandes, des antiautoritären Verhaltens, der extremen Sparsamkeit, des geduldigen Fleißes, des Verzichtens und der Vergänglichkeit des Lebens, der Flucht und der Improvisation. Diese authentische Küche ist zugleich Überlebensstrategie und Spiegelbild des vietnamesischen Charakters. Beispiele für diese Küche sind die Rohkost, das salzig eingelegte Gemüse, die Speisen, die mit Schwenk-Technik zubereitet werden.

Der Begriff „Glück“ *(phúc)* ist für die vietnamesische Weltanschauung so wichtig wie das Kreuz in der christlichen Welt. „Glück, Erfolg, ein langes Leben und viel Nachwuchs“, dies wünschen einander die Vietnamesen zum Neujahrsfest. Glück bedeutet für einen vietnamesischen Bauern, sich sattessen zu können. Dieser Grundgedanke symbolisiert das sino-vietnamesische Zeichen für „Glück“, das aus vier Zeichen besteht:

bedeutet göttlich, spirituell
bedeutet Wolken
heißt Sonne
heißt Feld

Glück ist also, wenn das Reisfeld mit Wasser und Sonne gesegnet ist – man hat genug zum Essen. Es ist Glück, das vom Himmel kommt, wo der „Herr Gott Himmel“ und die verstorbenen Vorfahren wohnen. Im heißen tropischen Klima erscheinen die Wolken oft in bizarren, geheimnisvollen, mächtigen Gestalten. Darum werden die Wolken im vietnamesischen Volksglauben mit dem Drachen verglichen, der Wasser auf das Feld hinunter „spuckt“. Der Drache wiederum ist ein mythisches Wasserwesen, das in Flüssen und Meeren wohnt. Gleich dem Ursprungsmythos nennen sich die Vietnamesen stolz „Kinder des Drachens und Enkel der unsterblichen Fee“. Der Drache ist in der asiatischen Mythologie und im Volksglauben ein wohltuendes Gottwesen. Der Fluß Mekong (wörtlich: der Mutter-Fluß) heißt auf vietnamesisch „Neun-Drachen-Fluß“, gemeint sind die Mündun-

n wichtig

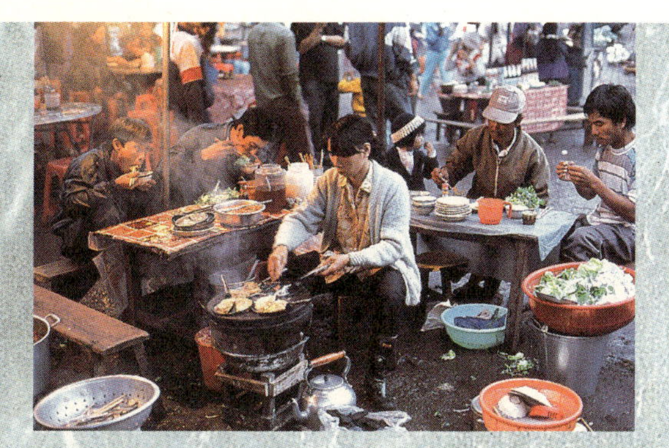

Koloniales Erbe: Französische Schweinepastete

gen des Mekong-Deltas. Die beiden großen Deltas – das des Roten Flusses im Norden und das des Mekong in Süd-Vietnam – sind Südostasiens wichtigste Reiskammern. Reis allein, dieses fast mythische Nahrungsmittel, bedeutet für den Vietnamesen ein ganzes Mahl. „Guten Appetit" heißt auf vietnamesisch „Lassen Sie sich den Reis schmecken" *(moī ông xoi com)*. Dieser Naßreis wächst nur im Wasser, und wie auf den Salzfeldern arbeiten hier hauptsächlich Frauen und Mädchen. Diese Hauptnahrungsproduzenten haben die vietnamesische Psyche im Laufe des Jahrtausends so stark geprägt, daß sie alles Eßbare, das Kochen, den Vorgang des Essens mit dem Weiblichen, mit der Mutter Erde identifizieren.

Die Vietnamesen nennen ihre Heimat „Wasser Vietnam" *(nuoć Viet Nam)* oder auch „Mutter Vietnam" *(me Viet Nam),* Wüste bedeutet Tod, Zweifel; Wasser hingegen Leben, Bejahung. Wasser ist für sie nicht nur das Element und das Symbol für Leben, sondern auch für Mutter, für Fruchtbarkeit und Erotik. In den Gewässern Vietnams herrscht, so der Volksglaube, die Göttin Wasser.

Das Essen in der bäuerlichen Gesellschaft Vietnams hat ebensoviel mit Liebe und Erotik, Fortpflanzung und Überleben zu tun wie mit Kosmologie und Initiationsriten. So ist im Märchen von der Reiskugel die Frau die Produzentin der Nahrungsmittel: Die Frau pflanzt den Reis, bewässert, pflegt, erntet und kocht ihn. Sie ruft Mann und Kind zu Tisch, verteilt die Speisen und bestimmt die Portionen. Auch werden viele Speisen mit weiblichen Gestalten oder weiblichen Organen identifiziert: der weiße, zarte Reismehlkuchen ist Abbild einer Jungfrau; die fleischige Fruchtspalte der Brotfrucht mit ihrem klebrigen Saft ist die Vagina; das Verzehren eines Reismehlpfannkuchens gleicht dem Deflorationsritus; das Lutschen der mit Honig flambierten Banane ist wie das Wasserschöpfen im Reisfeld – ein Geschlechtsakt. Worte wie „knusprig, klebrig, würzig" werden sowohl für Speisen wie auch für Frauen verwendet und assoziieren erotische Phantasien. Das Wort für Geschlechtsverkehr heißt in Vietnam „Essen-schlafen" *(au nam)*.

Im Gegensatz zur europäischen Mahlzeit, wo die Gerichte als Abfolge aufgetragen werden (Vorspeise, Zwischengänge, Hauptgerichte, Nachspeise), stehen bei einem vietnamesischen „Reistisch" alle Gerichte gleichzeitig auf dem Tisch. Es wird weder getrunken noch geredet. Man genießt mit intensiver Kontemplation und Konzentration, wie beim sexuellen Akt: Man redet in Zeit, aber ißt und liebt im Raum. Tempo und Zeit bedeuten Streß, Hast, Hektik. Ein geordneter Raum ist kein Chaos, sondern inspiriert zu Ruhe und Harmonie, Ge-

Viel Gemüse: Immer frisch vom Markt

合

Hop, Koitus, heißt „essen und Erotik"

Phúc, Glück, bedeutet „gute Ernte"

福

meinsamkeit und Glück. Der Vorgang des Essens ist von hoher Symbolik: Die allgegenwärtige Mutter Natur beschert einen großen Korb mit wilden Kräutern, die herrlich duften und leuchten. Die Nase wird von würzigen Gerüchen belebt, die Augen weiden, die Ohren öffnen sich für Legenden und Mythen. Der Speisende fühlt sich in archaische Zeiten versetzt, in denen das „Schwein mit dem Tiger spielt und der Frosch den Hals der Schlange umarmt" (vietnamesische Volkslieder). Alle Eßgenossen sitzen um den tiefen Tisch herum oder hocken auf der Matte. Gerichte und Suppenschüsseln sind harmonisch geordnet, in der Mitte immer die traditionelle Nuoc-mam-Sauce (ein flüssiger salziger Extrakt aus gegorenen Meeresfischen), in der alle ihre Speisen eintunken. Man ißt gemeinsam. Außer der einen Reisschale stehen alle Schüsseln und Gerichte jedem zur Verfügung, jeder nimmt aus denselben Schüsseln, jeder tunkt sein Essen in dieselbe Sauce.

Das Mahl bedeutet Kommunikation, Teilnahme an der Gemeinschaft und Bindung in Harmonie und Frieden. Wer aus derselben Schüssel ißt und die Speisen in dieselbe Sauce tunkt, genießt Sympathie und Liebe. Auch hat er Einfluß auf die anderen – das festigt die Familienbande, die Beziehung zu den Lebenden und den Toten. Die Mitte, dort wo die Schüssel mit der Nuoc-mam-Sauce steht, gleicht dem Leben bergenden Mutterschoß. Diese Fischsauce ist das Produkt der nationalen Küche und seinem Herd-Gott als Zentrum. In ländlichen Gebieten stehen Herd und Eßtisch unmittelbar unter dem Hausaltar, dem Thron der Verstorbenen. Derart eint der Eßtisch alle Familienmitglieder im Angesicht der Ahnen. Die bäuerliche Küche liebt Rohkost und Speisen in natürlicher Umwandlung: in Salz eingelegtes Gemüse aller Art, gegorene Meeresfrüchte, fermentierte Bohnen, Reis, Getreide, eingemachte Früchte, in Erde gegrabene Eier. Beim Kochen selbst wird weniger gebraten und geschwenkt, sondern mehr gesotten und gedämpft, wobei die Speisen mit dem Feuer nicht direkt in Berührung kommen, sondern in Wasser schwimmen oder in der Luft bleiben. Bei dieser Technik wirken die vier Grundelemente: Feuer (Flamme, kein Strom oder Gas), Wasser, Erde (Tontopf) und Holz (Brennmaterial). Auch die vier Elemente sind im vietnamesischen Volksglauben weibliche Gottheiten: Frau Wasser, Frau Erde, Frau Holz und Frau Feuer.

Die Küchengeräte bestehen in Vietnam nur aus Naturprodukten: der Herd aus drei Steinen (in Form eines Ameisenhaufens angeordnet) oder auch als Erdloch. Kochtöpfe werden nicht nur aus Ton geformt, sondern auch aus Bambusrohren, Muschelgehäusen, Krebstaschen und Kokosnußschalen. Zum Dünsten verwendet man Blüten, Früchte, Blätter. Eßbare Behälter sind beispielsweise gedämpfte Kürbisse in Kokosmilch, gefüllte Auberginen, gefüllte Kürbisblüten und Klebereiskuchen in Bananenblättern. Kochlöffel schnitzt man aus Holz, Bambus oder Muscheln, Koch- und Eßstäbchen aus Bambus, die Messer aus dem harten Teil des Bambus – oder des Zuckerrohres. Als Schneebesen oder Schöpfkellen verwendet man Kokosschalen, geflochtene Bambusstreifen oder Bambusrohre. Industrieprodukte aus Plastik oder Metall sind unbekannt.

98 Prozent der Vietnamesen sind heute noch Bauern. Davon sind rund zwei Millionen sogenannte primitive Bergstämme, die im Urwald oder Gebirge siedeln. Diese Natur- und Bauernvölker leben

Fleisch

h für die Küche der Reichen: Ferkel und Vogelfische (eine Art Scholle) gibt es überall zu kaufen

noch nach dem Rhythmus von Sonne und Mond, von Regen und Wind. Sie kochen und lieben sich in der Hütte genauso wie auf dem Feld. Dabei wird die Frau als Kochtopf und der Mann als Topfdeckel identifiziert. Hier ist Kochen und Essen wie Pflügen und Wasserschöpfen ein sexueller Akt, eine schöpferische Tat.

Essen bedeutet in Vietnam eine hohe Lebenskunst. Essen bedeutet aber auch eine philosophische Erkenntnisweise über die Zusammenhänge des Lebens. Zum Kochen mischt und knetet man die Zutaten, dies ist die Vereinigung der Elemente. Viele vietnamesische Mythen sprechen von der ursprünglichen Einheit der Dinge – der Stammvater der Vietnamesen war der Drache Lac Long im östlichen Wasserreich, die Stammutter die unsterbliche Fee Au Co im westlichen Gebirge. Diese mythische Ehe ist das uralte Verlangen aller Getrennten: Wasser will zur Erde, Feuer zur Luft, Starres (das Rohe) zum Milden (dem Gekochten), Lebendiges zum Toten (natürliche Umwandlung der Speisen vom Rohzustand in den gefaulten, eingelegten, vergorenen Zustand). Die Umwandlung bei der Herstellung der Speisen ist ein wesentlicher Bestandteil der vietnamesischen Küche, es ist die Zurücknahme der naiven Identifizierungen.

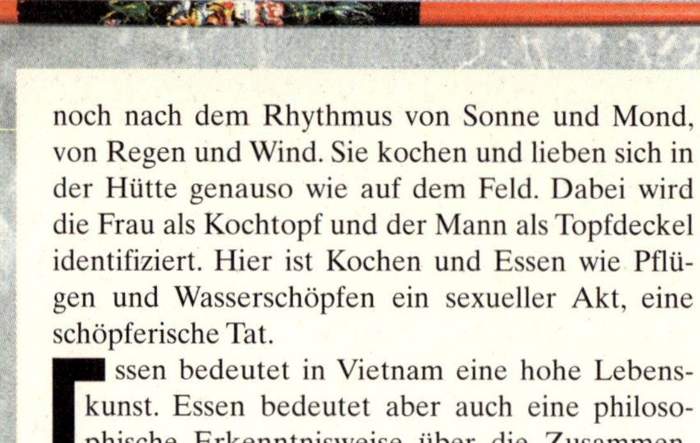

Erfordern viel Arbeit: Reisblätter

Produkte des mütterlichen Bodens werden in einem Gefäß aus Ton oder Erde gemischt und gerührt wie im Schoß der Mutter Erde. Zubereitet, also gerührt, gemischt, geknetet und gegessen wird mit bloßen Fingern, man rührt und berührt die Speise mit Absicht.

Denn das Berühren (rühren gleich in Bewegung setzen) bedeutet, daß durch den Kontakt etwas in Bewegung kommt – es wird wiedererweckt, durch Einnahme von Energien wiedergeboren. Essen mit den Fingern ist direkte Berührung der Elemente, eine Darstellung und Herstellung der Einheit gleich der körperlichen Vereinigung von Mann und Frau. Rühren und Berühren sind dabei die wichtigsten Mittel, doch auch das Riechen, Küssen, Lecken, Kauen, Hinunterschlucken gehört dazu.

Kiêm, Gesellschaft, ist „Mund und Mensch"

Zu Beginn des Mahles legt der Gastgeber oder die Mutter ein Stück Speise in die Schale des Gastes, normalerweise das beste Stück. Eine Geste nicht nur der Gastfreundschaft, sondern der Zusammengehörigkeit. Das vietnamesische Mahl ist das Symbol für die Wiederherstellung des Kontaktes zwischen Mensch und Natur, zwischen Lebenden und Toten – ein kulinarisches Universum.

NGUYEN TIEN-HUU, *geb. 1939 in Zentralvietnam, ist ein ungewöhnlicher Mann. Der studierte Ethnologe, Theologe, Kunstwissenschaftler und Archäologe ist nebenher auch Gastronom und Künstler – er malte die Kalligraphien zu seinem Text. Nguyen Tien-Huu lebt in der Nähe von München.*

Fast Food à la Vietnam: knusprige Sesam-Reisblätter

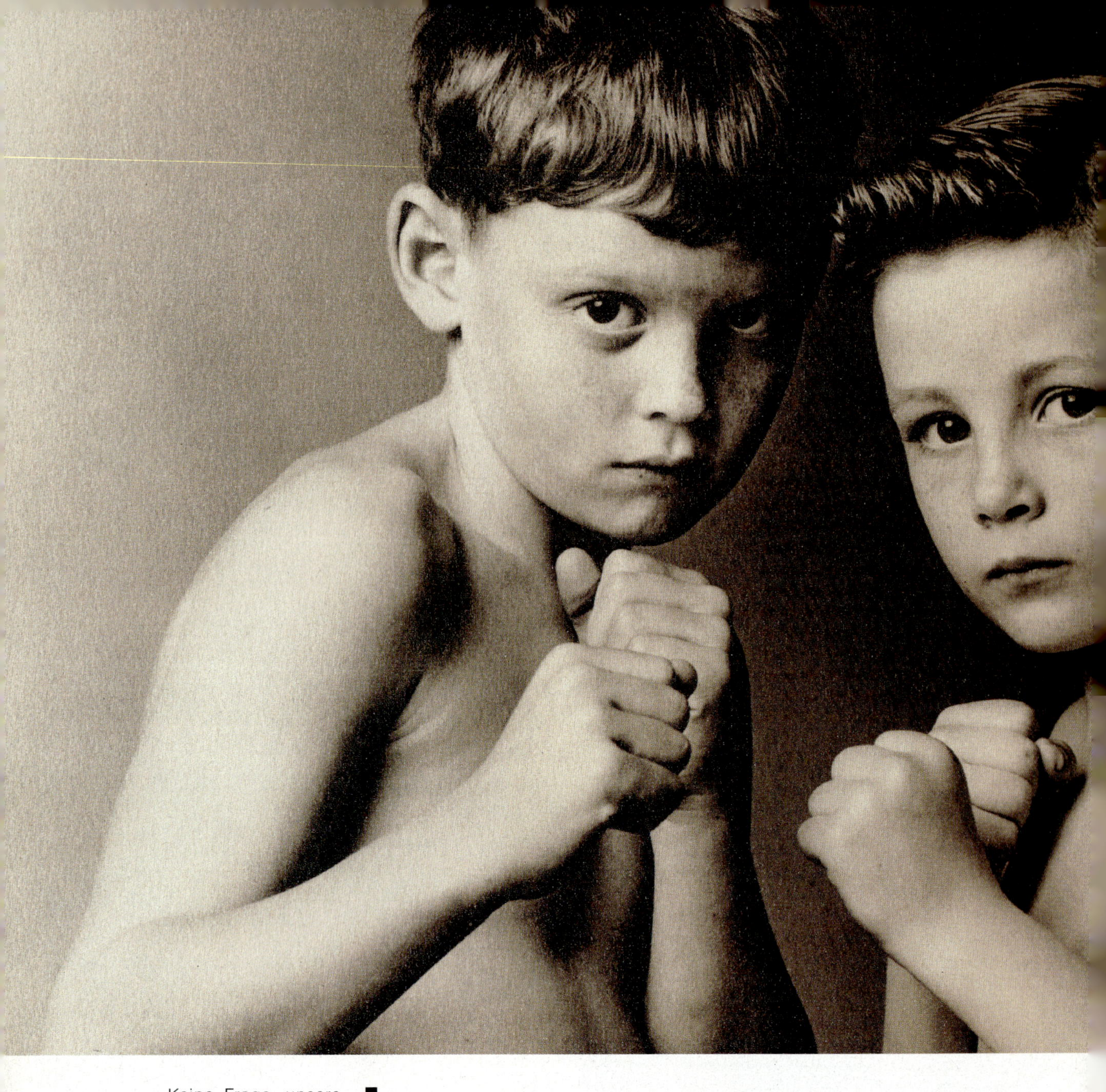

Schon die Jugendfotos
Manager verraten etwas

Keine Frage, unsere Manager sind darauf trainiert, Chancen am Aktienmarkt zu erkennen und sie zu nutzen. Nicht umsonst gehört unser DIT-FONDS FÜR VERMÖGENSBILDUNG zu den Champions auf dem deutschen Markt.

Auch wenn Sie noch nicht unser Kunde sind, können Sie Ihr Geld in diesem Fonds trimmen lassen. Sie müssen sich dabei um nichts kümmern, denn unsere Anlageprofis sorgen stets für beste Trainingsbedingungen.

Wir setzen dabei auf moderne Methoden und vor allem auf eine konservative, langfristig orientierte Anlagepolitik. In den Fonds nehmen wir ausschließlich Aktien etablierter deutscher Unternehmen auf, die traditionell mit relativ geringen Kursschwankun-

wo man den richtigen
Treffer landet, kann
man mit guten Rendi-
ten punkten: 25 Jahre
DIT-FONDS FÜR VER-
MÖGENSBILDUNG.

unserer Fonds-
über ihren Erfolg

gen, aber hohen Dividendenrendi-
ten durchs Ziel gehen.

In den letzten zehn Jahren konnte der Fonds so jährlich im Schnitt eine Rendite von 11,3%* erzielen. *(Durchschnittliche jährliche Wertentwicklung per 30. April 1995; Berechnungsbasis Anteilwert; Ausgabeaufschläge nicht berücksichtigt; Ausschüttungen wiederangelegt.) Der größte Teil davon ergibt sich für den Privatanleger aus steuerfreien Kursgewinnen. Auch heute spricht viel für einen längerfristig steigenden deutschen Aktienmarkt. Ihr Geld hat also gute Chancen zu gewinnen. Interesse? Fragen Sie unsere Berater nach den aktuellen Verkaufsprospekten.

Dresdner Bank Investmentgruppe
DIT DEUTSCHER INVESTMENT-TRUST

OH, HO

Auf den Spuren von Ho Chi Minh

Ho Chi Minh *war alles: Sohn eines Mandarins, Süßspeisenkoch, Guerilla, Poet. Kopf, Seele, Symbol und dennoch Individualist*

Immer noch ist er allgegenwärtig. Wie es heute die Vietnamesen mit ihrem Denkmal halten, beschreibt Mathias Greffrath

Ein prächtiger Storch, vier Meter groß, thront auf dem Rücken der goldenen Schildkröte. Kupferglocken und Holztrommeln. Vor dem Altar der buddhistischen Pagode in der Cat Lien kniet eine junge Frau und ordnet gelbe Blumen. Vom Nebenaltar leuchtet rosig das Gesicht von Ho Chi Minh. Wieso nicht? sagt das Gesicht der Nonne, als ich sie fragend ansehe. In der Nha-Chung-Straße steht eine häßliche Tanzarena aus der Zeit der sozialistischen Kulturaufschwünge: Stahlstühle, Dunhill-Fähnchen, futuristische Wandbilder. Eine Schülergruppe schwenkt Tücher, bildet Lotosmuster – die Blume der Reinheit, dem Schlamm entsprossen, die Blüte Ho Chi Minhs – und übt für den Wettbewerb: „Ho Chi Minh ist gegangen", singen sie, „aber er geht uns noch immer voran. Wir leben, als lebte er mitten unter uns."

Überall ist er dezent präsent: in den Ämtern, hinter den Tresen; die Straßenjungen verkaufen Hos „Gefängnistagebuch" – wundersame kleine Pastiches über Blumen und Gewalt, Regentropfen und Politik. Und in Folie geschweißte, süßlich kolorierte Fotos: Ho füttert ein Kind, die Kippe schräg im Mund, der Präsident entwirft ein Dekret, die qualmende „555" in der Linken; der Guerillachef Ho, im Schneidersitz in der Höhle von Pac Bo. Nationalheld, Dichter, Landesvater, Onkel – hier ist das alles nicht zu trennen. „Haben Sie schon das Haus von Onkel Ho gesehen?" fragt die junge Frau im staatlichen Telegraphenbüro, nachdem sie mit den Fingern ihre Arbeitsbedingungen vorgerechnet hatte: sieben Tage in der Woche, acht Stunden am Tag, 50 Dollar im Monat. „Sie müssen Onkel Hos Haus sehen", insistiert sie. „Sie dürfen Hanoi nicht verlassen, ohne Onkel Hos Haus besucht zu haben."

Ho als Heiliger: Landesüblicher Ahnenkult

Volksbefragung: Onkel Ho war unser Befreier, sagt die Blumenfrau. Er hat es immer wieder versucht, sagt der Kellner. Er liebt die Kinder, sagen die Kinder. Unser Erlöser, die Ministerialbeamtin. Die Worte sind so blaß wie tiefempfunden. „Er war in allem ein Mensch, der einzige, dem ich begegnet bin", zitiert der Präsidentenberater Hamlet. Und alle strahlen. Ho war das alles. Geboren 1890 als Sohn des Mandarins, der 1911 ins Ausland ging und 1941 wiederkam. Der als Süßspeisenkoch, Photoretuscheur, Matrose und Journalist den Westen studierte und in Paris Flugblätter verteilte. Der Historiker, der Guerilla, der Poet. Der Gründer der Partei, der Unabhängigmacher, der unbestrittene Chef des legendären Generals Giap, des Ministerpräsidenten Pham Van Dong, der Parteichefs Truong Chinh und Le Duan. Er war der Kopf. Die Seele. Und das Symbol. „Was mich persönlich angeht: Keine großen Zeremonien. Man soll das Geld und die Zeit des Volkes nicht verschwenden. Ich will, daß mein Körper verbrannt wird. Ich hoffe ohnehin, daß die Einäscherung sich einbürgern wird. Sie ist hygienischer und geht sparsamer mit dem Boden um. Wenn wir genug Elektrizität haben, können wir die Elektroeinäscherung einführen, das wird noch besser sein. Die Asche beerdigt auf einem Hügel, da gibt es ein paar schöne in der Nähe von Tam Dao. Darüber ein einfaches Haus, groß, solide und durchlüftet, für die Besucher. Auf dem Hügel pflanzt Bäume. Achtet auf jeden einzelnen, daß er gut wächst, so werden sie mit der Zeit ein Wald. Das verschönt die Gegend und dient der Landwirtschaft." (Hanoi, 10. 4. 1969)

Ho Chi Minh war praktisch. In seinen Reden gibt er, im selben Atemzug neben Aufrufen gegen die Bonzenkorruption, detaillierte Ratschläge zur Schweinehaltung. Die Passage übers Einäschern strich die Partei aus dem Testament, Ho war Besitz des Staates. In dem Haus in der Hang Ngang 48 stehen unter Schonbezügen die Sessel, in denen die Unabhängigkeit gefeiert wurde, und unter Glas Ho Chi Minhs Reiseschreibmaschine „Hermes Baby", auf der er 1945 den Text geschrieben hatte: „Alle Menschen sind frei geboren, mit gleichen Rechten . . ." – Ho hatte die französischen Menschenrechte und die Declaration of Independence der Vereinigten Staaten paraphrasiert und antikolonial gewendet. Um diese Zeit, schreibt der Historiker Tran Quoc Vuong, „wurde Ho heiliggesprochen. Er hörte damals auf, eine Person im normalen Sinne des Wortes zu sein."

Kein helles Haus auf dem Hügel – ein einfallsloser Klotz, braun und grau und stumpf; oben schwarz der Name: HO CHI MINH. Was soviel heißt wie der Aufklärer. Das Mausoleum ist viermal so groß wie das von Lenin. Nichts von der verspielten Eleganz der neusachlichen Kästchen-Collage auf dem Roten Platz. Die ästhetische Brillanz des Kommunismus war längst dahin, als die Partei beschloß, Onkel Hos Leibeigenschaft in alle Ewigkeit zu verlängern. Flach und freundlich liegt Ho unter der Wolldecke. Licht auf Hand und Kopf, der Ziegenbart wohlgekämmt und fein, die Wangen leicht gerötet. Ein wenig lächelt er. Die Präparatoren haben hervorragend gearbeitet: der Wecker und die „555"-Zigarettenschachtel neben dem Kissen wären kein Stilbruch in all der militanten Würde. Bei genauerem Hinsehen – 35 Sekunden hat man – entdecke ich milden Trotz unter knapp geschlossenen Lidern.

Das Ho-Chi-Minh-Museum ist kein Ho-Chi-Minh-Museum. Die Betonhalle – sie ist wie das Mausoleum ein Geschenk des damals gro-

Ho-Chi-Minh-Mausoleum: Die letzte Ruhestätte für den Aufklärer ist ein einfallsloser Klotz

ßen Bruders – hat die Grundrisse einer Lotosblüte. In der Mitte der Blume die Geschichte von Hunger, Lebensnot und teurem Widerstand: die Eßgeräte eines hohen Mandarins. Schandpfahl, Peitsche und Bajonette der Franzosen. Reisschüssel und Holzpflug. Napalmkanister und Frauenmiliz von Yen Lang nach dem Abschuß des 4000. Fliegers.

Dann im äußeren Ring die Partei: all die Meetings, all die Zigaretten, die Flugblätter, die Abreisen, die Fluchten – ein Hafenpoller aus Pappmaché, der blaue Mantel, in dem sich Ho als Chinese verkleiden mußte, Hos geliebtes Werkzeug, die „Hermes Baby", Exilzeitungen: „Das Etoileviertel explodiert fast vor Luxus, in Epinette haust die Rasse der Enterbten" (Ho Chi Minh, Paris, 31. 5. 1922). In den Lotusblätterspitzen satellitengleich die Welt: Die Moderne in Form einer Drehtür, dahinter Picasso und Einstein, der Revolutionsturm der Moskauer Konstruktivisten, Guernica. Das Reisfeld und die Welt, die großen Kriege und das Dorf: Ho ist gegenwärtig, aber der Held ist das Volk. Hier begegnet es sich selbst. Draußen lutschen die Kinder Eis.

Ho als ewig Lernender: Arbeit für den Sieg

„Er war ein einfacher Mann", sagt General Giap und schließt die Augen. Und dann, noch leiser. „Extrêmement simple. Er wollte nicht anders sein als die anderen. Dabei ein Intellektueller. Sein Geheimnis war das Dorf." Das Dorf Kim Lien, in einer Provinz, die ärmer war als die anderen, in der die Dorfgemeinschaft fester war als anderswo und die soziale Kluft größer. „Sein Geheimnis", sagt der General, und sein Sekretär schreibt jedes Wort mit, „war die Kultur des Landes: man muß kämpfen und arbeiten ohne Ermüdung. Das ist eine Art Religion, nicht wahr . . ." Wieder schließt Giap die Augen: „Vietnamese, also optimistisch. Als wir in Dien Bien Phu über die Franzosen gesiegt hatten, kam ein Telegramm vom Präsidenten: ‚Grande Victoire. Félicitations. Mais ce n'est qu'un début.' Er hat immer Gegenwart und Vergangenheit und Zukunft zusammengedacht." Der General zeigt nach draußen: „Es sieht ganz gut aus zur Zeit, aber man muß wachsam sein." Vo Nguyen Giap hat feine, fleckige Altmännerhände. Er war Lehrer, bevor er Soldat wurde.

Die sozialistische Umerziehung nach 1975 sei an der Realität des Volkes und die Landreform an der Realität der Bauernseelen vorbeigegangen. „Jetzt kopieren wir nichts mehr, nichts Russisches und nichts aus Amerika. Man muß handeln, hat Ho gesagt, man macht Fehler. Und man muß den Mut haben, sie zu korrigieren. So gehen wir dann Schritt für Schritt auf die beste aller Welten zu", lacht er spitzbübisch. Dann steht er auf. Vier goldene Sterne und ein roter Kragen blitzen. „Wir müssen auf die Familie achten", fährt er fort, schon auf der Treppe, „das ist wichtig. Noch hält die vietnamesische Familie, aber das wird nicht einfach sein." Gerade lese er ein Buch über das 21. Jahrhundert: „Die Umwälzung der Welt. Wir brauchen neue internationale Ordnungen. Es ist wieder einmal ein Anfang. Die Gegenwart ist die Vergangenheit der Zukunft. Seien Sie optimistisch, junger Mann!" Ein schwarzer Nissan schnurrt vom Hof, und für fünf Minuten kommt mir alles ganz einfach vor.

Schneewittchenberge, rund und spitz, wie von Kindern gemalt. Sieben mal sieben mal sieben Kegel, ein Tal nach dem anderen und tausend Arten feuchtes Grün. „Da drüben, hinter den Bergen", sagt Frau Lan, die mit fünfzig angefangen hat, Englisch zu lernen, „hat Vo Nguyen Giap seinen ersten Sieg errungen, am 24. Dezember 1944 haben sie eine Franzosengarnison überfallen. Giap konnte die Sprache der Bergvölker, Day und Nung und die anderen. Neulich war er hier, er konnte es immer noch." Von einem Tal winden wir uns ins nächste, immer höher nach Norden. Frau Lan zeigt auf einen Stein neben der Piste: „Das Denkmal für Kim Dong, den achtjährigen Partisanen, der hier starb." Alle Kinder lernen diese Geschichte in der Schule, das ganze Land ist das Denkmal eines tausendjährigen Kampfes. Und Onkel Ho hat ihn beendet.

Das Tal wird enger, das Wasser reißender, die Berge türmen sich steil. Irgendwann ist Schluß. Eine Brücke, ein paar hundert Meter führt ein Pfad in den Wald. Königsblaue Schmetterlinge und schwarze und tigergoldene. Ein paar Steinstufen, dann ein Schlitz im Kalkfelsen: eine Höhle, so groß wie ein geräumiges Wohnzimmer. Trocken, mit einem zweiten Ausgang. Frau Lan zeigt nach oben: Achtzig Meter über uns beginnt China. Am 3. Februar 1941, dreißig Jahre nach seiner Abreise aus Saigon, hatte Ho Chi Minh hier wieder vietnamesischen Boden betreten. Einen Monat wohnte er in dieser Höhle in Pac Bo, verborgen vor Japanern und Franzosen, und begann, aus der Provinz Cao Bang, die Nationale Einheitsfront Vietminh zu organisieren. Mit zwei Genossen und der kleinen Köchin The An Loc legte er einen Garten an und einen Teich. Auf zwei Kisten hat er geschlafen, und in den Tropfstein der Höhle, der wie ein Rauschebart ausschaut, zwei schwarze Augen gekratzt und ihn Karl-Marx-Monument genannt. Auch den spitzen Berg hat er nach ihm getauft: Nai Cac Mac, und

Ho als grandioses Statuenstück: Personenkult vergangener Zeiten im Ho-Chi-Minh-Museum

Ho als Schaufensterdekoration: Bac Ho, der Onkel, *liebte alle Kinder. Er selbst hatte keine*

Hos Mausoleum, gut bewacht: Hier liegt der Held. *Wider seinen Willen machte man ihn zur öffentlichen Person*

Hos Privathaus: Er lebte sehr einfach, wie ein Bauer. *Der Pavillon ist Wallfahrtsort aller Vietnamesen*

An seinem Bett Vu Ky, der Privatsekretär: Ho gilt als das Idol *für die ältere Generation*

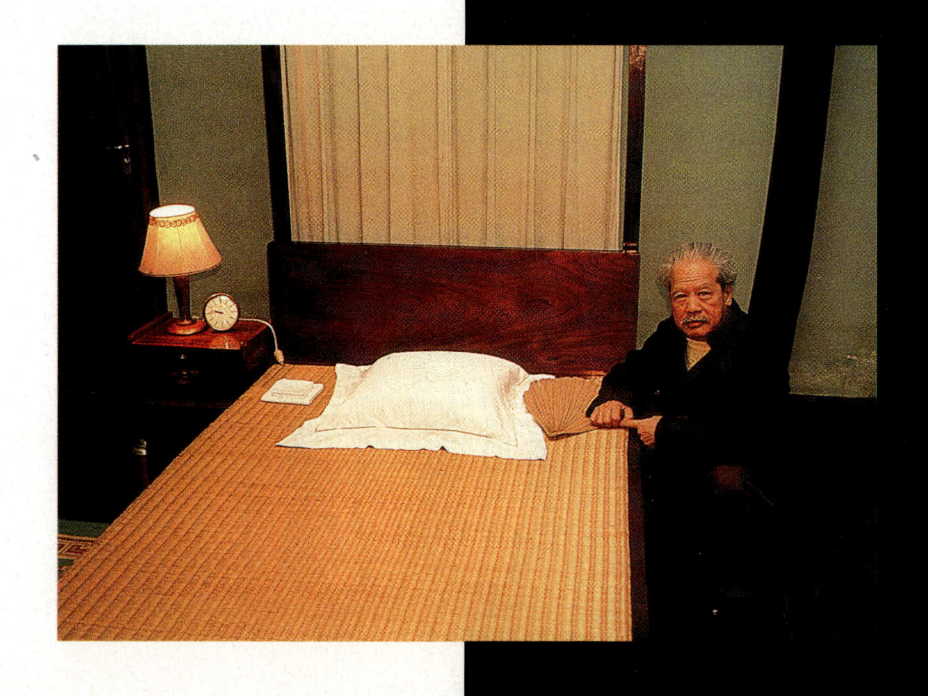

der Fluß, der in China entspringt, heißt Suo Lenin. In goldenen Betonbuchstaben hat man den Humor aus der Guerillahöhle verfestigt, aber das stört die wilde Romantik nicht. Was wäre Mythos, wenn nicht dies: Hier, vom alleräußersten Ende her, hat es angefangen, mit dem Rücken zur steilen Kalkmauer nach China. Hier hat der Kampf um die Freiheit der Vietnamesen begonnen.

Wir waten durch graue Fluten. „Da hat er gesessen", ruft der Dolmetscher Son und zeigt auf eine kleine Insel im Bach. Ein großer Felsen als Schreibtisch, ein kleiner als Stuhl. „Dort hat er die Geschichte der KPdSU ins Vietnamesische übersetzt", ruft Son und fällt vor Lachen fast in den Leninfluß. Ihr liebt die Russen nicht? „Wir müssen nicht mehr", kräht er, und in den Bäumen schnarren unbekannte Vögel. Vor dem kleinen Museum in Pac Bo lädt eine Mädchenpioniergruppe ihre Trommeln ab. Auf einem Gemälde begrüßen die Bauern Ho Chi Minh am Kilometerstein 108 und schildern ihre Sorgen. Auch hier ist unter Glas Hos Schreibmaschine „Hermes Baby" ausgestellt, auf ihr hat er die ersten Dekrete an den Vietminh geschrieben. Von einem blassen Photo blicken vier Männer und eine Frau mit tiefliegenden Augen: die erste Kommunistenzelle von Cao Bang. Die Frau lebt noch. Nong Thi Thrung ist 76. Mit 16 hatte sie sich den Kommunisten angeschlossen, 1984 wurde sie pensioniert, zuletzt war sie Staatsanwältin in Cao Bang. Ho hatte damals nach ihr geschickt. „Er sagte, von nun an sei ich seine Nichte. Er lehrte mich schreiben und lesen. Dünn war er, und sein Gesicht leuchtete vor Ernst. Wir müßten die Franzosen vertreiben, sagte er, erst dann könne es Essen und Kleidung und Glück geben, erst dann könnten wir den Unterschied von Stadt und Land beenden und Krankenhäuser und Schulen haben." Die alte Frau erzählt von Hunger und Vietnamesenköpfen auf den Palisadenzäunen der Franzosen. Ho hatte sich damals als Bergbewohner verkleidet, die Hosen hochgerollt. Als die Franzosen ihn festnahmen und überprüften, sagte er, er sei der Zauberer der Nung. Da ließen sie ihn laufen." Und sie zitiert ein Gedicht: „Morgens der Bach, abends die Höhle, / Mais, Bambus und immer auf dem Sprung. / Auf schwankendem Stein schreibe ich die Geschichte der Partei. / Welch ein Luxus, dies Leben eines Revolutionärs." 1961 war Ho noch einmal in Cao Bang, da hat ihm die kleine Köchin wieder die Gerichte von damals gekocht, das Parteibankett ließ er für die einfachen Speisen gern stehen. Hos Haus in Hanoi steht noch. Denn nicht das Mausoleum hatte die Telephonistin gemeint, als sie sagte: Besuchen Sie Onkel Hos Haus. Sondern den Stelzenpavillon, den Ho in den Garten des kolonialen Präsidentenpalastes setzen ließ. Zu ebener Erde ist das leichte Holzhaus offen, da steht der große Konferenztisch und ein bequemer Schaukelstuhl zum Ausruhen. Zwei kleine Zimmer oben, ohne Klimaanlage, eines zum Arbeiten und eines zum Schlafen. Ein weißes Radio, ein Wecker, drei Reihen Bücher, ein postkartengroßes Leninporträt. Und vor dem Fenster die roten Blüten des Phuong-Baumes, ein Symbol der Kindheit. Dies Haus ist die eigentliche Reliquie von Onkel Ho. Hier lassen sich die Leute photographieren, hier sammeln die Lehrer die Kinder im Kreis. So einfach kann man leben, sagt dieser Platz. Mit so wenig kann einer auskommen, der so viel Macht hatte und so viel Liebe auf sich vereinte, der brauchte die ganze Welt und so wenig dazu. An der Wand steht ein kleiner Koffer mit Hos geliebter „Hermes Baby". Die vierte. Beseelte Pragmatiker, diese Vietnamesen.

Ho als Taktierer: Gespräch mit Mao in Hanoi

An den warmen Abenden sitzen sie zu Hunderten auf dem großen Platz um das Mausoleum. Die Kinder fahren Achten mit dem Fahrrad, die Jünglinge diskutieren, die Mädchen flanieren, die Liebespaare lieben sich, die Kleinen lernen laufen. Ein paar alte Frauen zupfen Unkraut aus dem großen Rasen, der wie ein Reisfeld vor dem häßlichen Kubus aus Moskau liegt. In den Büschen raschelt es, der Wind weht durch die Bambuswäldchen, und auf dem Platz schnattern die Leute von Hanoi. Der Krieg ist so lange her. Rosa Ballons steigen auf, junge Frauen pediküren einander, eine Bande spielt Einkriegen. Hoch über dem Rasen hängt die schönste Fahne der Welt, so einfach wie ein Kinderwimpel: gelber Stern auf rotem Grund. Das ist Onkel Hos Dorf. Jeden Abend. Bis es kühl genug ist zum Schlafen: „Ho Chi Minh very nice", sagt der Rikschafahrer. Wir kacheln durch die Pho Hang Bong, atemraubend, hunderttausend Honda sind unterwegs. Rote Seide flattert im Damensitz. Vor Lenins Denkmal spielen sie inzwischen schon Fußball. In Vietnam, hatte Herbert Marcuse 1968 gesagt, sei der neue Mensch schon zu sehen. Beweis: die Bänke in Hanoi. Sie seien zu klein für anderes als Dialog und Zärtlichkeit. „Ho, Ho, Ho Chi Minh", haben wir da gerufen. Das mit den Bänken stimmt. Wir hatten von nichts eine Ahnung.

MATTHIAS GREFFRATH, *Jahrgang 1945, lebt in Berlin und arbeitet als freier Journalist und Buchautor.*

Ho in modernem Kleinformat: Der Vater des modernen Vietnam ist heute Teil der Geschichte

Fluss OHNE GRENZEN

Das Mekong-Delta ist eine einzigartige Landschaft und Lebenswelt – ein Netzwerk aus Flüssen, Kanälen, Gräben. Die reichste Region Vietnams. Von seiner Kreuzfahrt mit den Mekong-Schiffern erzählt Rainer Scholz

Garten Eden in Fluten: Nur zwei Meter über dem Meeresspiegel liegt die Provinz Cuu Long

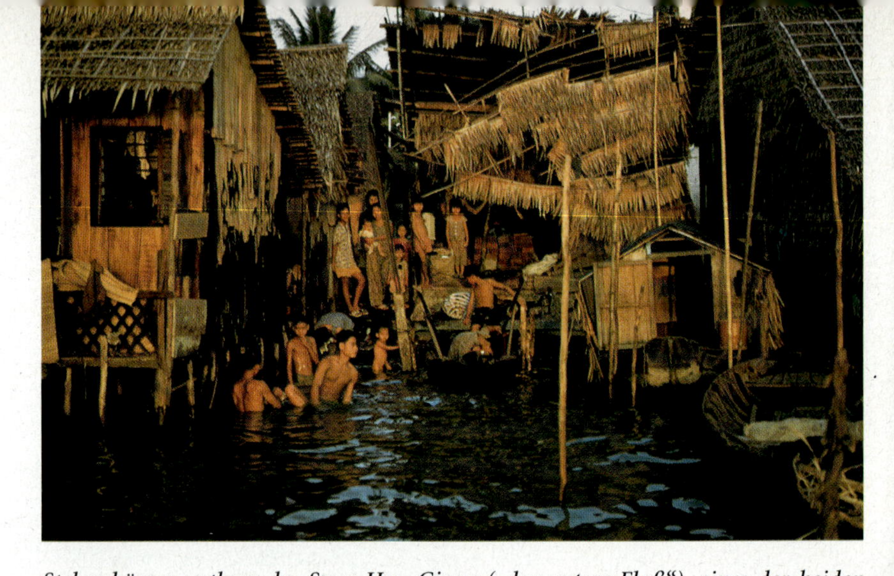

Stelzenhäuser entlang des Song Hau Giang („der untere Fluß"), eines der beiden großen Arme des Mekong: Während der Regenzeit stehen viele Dörfer im Wasser

Neun

DRACHEN NENNEN DIE VIETNAMESEN DEN FLUSS

Am späten Nachmittag nehmen wir zuletzt einen Posten chinesischer Fahrräder an Bord, Marke *Ewig,* blaue und grüne, 150 Stück in Plastikfolie, für die sich auf dem oberen Deck neben einem Stapel roséfarbener Matratzen mit wildem Blumendekor gerade noch Platz findet. Es ist Sonntag, und im Hafen fehlt die abwechslungsreiche Geschäftigkeit der Werktage – kaum ein Schiff am Pier, der Blick frei auf eine unsäglich schmutzige, schwarzbraune Brühe, in der Öllachen, Exkremente, tote Hunde und sonstiger Unrat schwappen. In der sengenden Hitze und der ungewohnten Stille drängt sich der Gestank dieses Morasts geradezu schmerzhaft ins Bewußtsein, und während die Kulis eine *Ewig* nach der anderen auf den Frachter hieven, murmeln sie, wie eine Meditationsformel, einen Fluch vor sich hin, der zu sexuellen Handlungen an Müttern auffordert.

Eine Stunde später sind die Räder verstaut. Die dreißig Meter lange und fünf Meter breite MH 95 gleitet durch den Dschungel aus Lagerhäusern, Werkstätten, Nudelshops und Armeleutehütten, die den Ben-Nghe-Kanal in Saigons Chinesenviertel Cholon säumen. Im Schein der Abendsonne biegt das Schiff auf den Saigon-Fluß ein. Bei Einbruch der Dunkelheit entzündet der Kapitän am Bug drei Räucherstäbchen, Teil des täglichen Tributs an den Schiffsgeist. Leuchtend rot umrandet sind auf beide Seiten des Bugspriets zwei Augen gepinselt: Bis heute verläßt kein Flußkahn die Zimmereien des Deltas ohne diese Bemalung, die selbst dem unscheinbarsten Gefährt eine individuelle Grimasse verleiht. Sie gebe, so sagt man, das zusätzliche Quentchen an Sicht, das der Steuermann für gefährliche Situationen braucht. Drei weitere Räucherstäbchen werden zwischen die Positionslichter des Oberdecks gesteckt und noch mal drei auf den Bordaltar. Ergibt neun, die magische Zahl des Stromes, den die Vietnamesen Cuu Long nennen – „Neun Drachen". Buddha und sonstige spirituelle Mächte dürften uns nun wohl gewogen sein.

Der Duft der Räucherstäbchen signalisiert der Mannschaft den besten Teil des Tages. Frisch gewaschen breiten sie eine Strohmatte aus, kuscheln sich in der Abendkühle aneinander, genießen Saigons Vororte in Feierabendstimmung. Fast lautlos schiebt sich das Schiff den Kanal hinunter, vom Deck aus kann man bestens in die Pfahlbauten zu beiden Seiten spähen, die bis auf Armlänge heranrücken können. Voyeuristische Momente, deren Opfern nicht die geringste Chance bleibt. Vor allem Bäder und Toiletten werden zu Objekten der Sehlust – erwischt man einen pinkelnden Mann in Frontalansicht, ist die Freude groß; blitzt ein Mädchenpopo, ist sie noch größer.

Lange nach Mitternacht reißt die Landschaft auf. Das einschläfernd metallische Sägen der Zikaden verklingt hinter uns.

Kinder wachsen hier mit dem Wasser auf, und Boote sind für sie öffentliche Verkehrsmittel

Das Brummen des Schiffsmotors, von der Pflanzenwand an beiden Ufern des Kanals zurückgeworfen, verliert sich plötzlich auf einer weiten, offenen Wasserfläche, wird vom Rauschen der Bugwellen übertönt. Auf den Markierungsbojen zahllos ausgeworfener Fischernetze und Reusen tanzen kleine Öllampen: Myriaden winziger Lichtpunkte, als seien ganze Sternensysteme in den Fluß gefallen. Der Wind trägt aus allen Richtungen Geräuschfetzen von Booten herbei, die, fast unsichtbar, noch unterwegs sind. Verspätete Bauern, eilig auf dem Heimweg, sind am Platschen ihrer Ruder zu erkennen, die Einbäume der Fischer rattern mit ihren Außenbordern gleich Nähmaschinen, plumpe Reisdschunken kündigen sich mit blubbernden Explosionen an wie nahendes Granatwerferfeuer. Die Suchscheinwerfer der größeren Schiffe zucken durch die Nacht, blinken sich gegenseitig zu, tasten nach unberechenbaren Inseln aus Treibgut, nach unbeleuchteten Fahrzeugen. Wir haben den oberen Mekong erreicht. In der Ferne schimmern die Lichter von My Tho. Im 17. Jahrhundert von chinesischen Siedlern gegründet, zweihundert Jahre später von den Franzosen ausgebaut, war die Stadt lange Zeit Hauptumschlagplatz für den Kambodscha-Handel. Heute Hauptstadt der Provinz Tien Giang, gilt sie als „Tor des Deltas". Das Szenario versammelt die Mannschaft auf eine Zigarettenlänge wieder an Deck. Steuermann Thanh lacht: „Ich weiß nicht, wie oft ich das schon gesehen habe, doch jedes Mal ist es toll."

Bei Tagesanbruch treiben wir erneut auf einem schnurgeraden Kanal, der im rechten Winkel auf andere Kanäle trifft, als habe ein gewaltiger Pinsel ein lehmgelbes Raster über das Land gezogen, auf dem die MH 95 im Morgennebel ruht wie eine massige, farbenprächtige Raupe. Neben Fahrrädern und Matratzen hat sie so ziemlich alles geladen, was eine Provinzstadt im Delta an Konsumgütern nur brauchen kann. Hauptsächlich aus Plastik, billig und vor allem bunt, türmt sich die Ladung deutlich höher als der hölzerne Rumpf, birst fast aus den Luken, verleiht dem Schiff die grelle Unförmigkeit eines auf dem Wasser ausgesetzten Marktstandes. Der Kontrast zur Umgebung könnte kaum krasser sein: ein Meer wogender, abgestufter Grüntöne, Reisfelder, Obstplantagen, Kokoshaine – so flach, daß die steigende Flut noch 200 Kilometer flußaufwärts spürbar ist.

Das Delta des Mekong, mit 39 000 Quadratkilometern drittgrößtes Mündungsgebiet nach denen von Amazonas und Brahmaputra, zählt zu den fruchtbarsten Regionen der Erde. Der mächtige Strom, dessen Quelle auf dem tibetischen Hochplateau in der chinesischen Provinz Qinghai bis heute nicht genauer definiert ist und der daher nach verschiedenen Angaben als fünft-, sechst- oder siebtlängster der Erde gilt, hat mehr als 4000 Kilometer durch China, Myanmar (Birma), Laos, Thailand und Kambodscha zurückgelegt, bevor er sich bei der kambodschanischen Hauptstadt Phnom Penh in zwei Arme teilt, die nach weiteren 100 Kilometern die vietnamesische Grenze erreichen. Kurz vor der Mündung ins Südchinesische Meer teilt sich der obere Mekong in sechs, der untere in zwei Arme. Rund eine Million

Halb Land, halb Wasser: Auf den Kanälen bei My Tho wuchert das Grün bis zur Fahrrinne, Kahnfahrten gleichen Dschungelreisen

Jean-Claude Labbe

Der Fluss ALS SUPERMARKT

Hunderte von Sampans kommen täglich nach Phung Hiep (bei Can Tho) zum „Schwimmenden Markt“. Das Einkaufszentrum liegt äußerst verkehrsgünstig: hier treffen gleich mehrere Wasserstraßen aufeinander

Fähre bei My Tho: Das Fortkommen auf dem Landweg ist beschwerlich – es gibt keine Brücken im Delta, und die Wartezeiten an den Fährstellen sind lang

lück

VERHEISST ER DEN MENSCHEN. UND GELD

Tonnen fruchtbaren Schlicks lagert der Strom jährlich im Delta ab, die Ablagerungen erweitern die Küstenlinie Jahr für Jahr und bedecken das Flußbett bis zu 70 Meter tief. In manchen Gegenden ermöglichen Schlamm und Wasser drei Ernten; 60 Prozent von Vietnams Agrarproduktion und 90 Prozent seiner landwirtschaftlichen Exporte gedeihen hier – ohne das Delta wäre die Nation nicht lebensfähig.

Kennzahlen einer Gegend, die man im Vorbeigleiten als reiche Gartenlandschaft wahrnimmt. Die weit übers Wasser ragenden Kokospalmen entlang der Ufer, deren dichter Wuchs den Blick aufs Hinterland versperrt, öffnen sich zu kleinen, von Bananenstauden umrandeten Lichtungen. Darauf schmucke Häuschen sowie jene Sorte von palmwedelgeflochtenen Hütten, wie wir sie auf Ansichtskarten so lieben. Blumenbeete davor, Mango, Thurian und Papaya dahinter, pickende Hühner zwischen allem – der Betrachter wähnt sich in einem bäuerlichen Eden. In der Luft liegt süße Schläfrigkeit, die stille Beschaulichkeit eines bescheidenen Wohlstandes. Wo sich hin und wieder eine Lücke im Gürtel aus Häusern und Gärten entlang der Wasserstraßen auftut, leuchten riesige Felder, am Horizont von anderen Gärten und anderen Kanälen begrenzt. Soja, Tabak, Erdnüsse, Zuckerrohr, Süßkartoffeln, vor allem aber Reis. Gut 10 Millionen Tonnen Reis werden jährlich im Delta geerntet, die Bauern sind die Hoffnungsträger der neuen vietnamesischen Wirtschaftspolitik.

Im Laufe des Tages werden wir ein Stück auf dem Mekong fahren, der in der Mittagshitze glatt ruht wie ein Superhighway. Werden Can Tho hinter uns lassen, die heimliche Hauptstadt des Deltas mit 250 000 Einwohnern, Universität und cafégesäumten Promenaden. Werden den schwimmenden Markt von Phung Hiep erreichen, ein unglaubliches Getümmel waghalsig navigierender Händler auf sechs sternförmig zusammenlaufenden Wasserstraßen. Noch vor Ankerwurf wird die MH 95 regelrecht geentert. Ein Boot bringt Nudelsuppe, ein anderes gedämpfte Maiskolben. Ein drittes, fast bis an die Bordkante mit Trinkwasser gefüllt, liegt so tief, daß für den Jungen darauf nur noch ein fingerbreiter Rand bleibt. Den Höhepunkt bildet eine komplett ausgestattete Kaffeebar: Mit der Grandezza eines venezianischen Gondoliere lädt der Barkeeper zum Platznehmen ein, doch ich traue mich nicht, weil der Kahn so hoffnungslos mit einem Tresen überlastet ist, daß er bei jeder Bewegung zu kentern droht. Für die Einheimischen kein Problem, sie verbringen ihr halbes Leben auf diesen Nußschalen. Weiter gen Süden. Der Verkehr wird zum Abend hin dichter, alte Mütterchen, das Gesicht tief verschattet unter Strohhüten, paddeln ihre Kanus am Bug sitzend, die Beine baumeln im Wasser.

Krabbenfabrik im südlichen Nam Can: Das Geschäft mit dem „rosafarbenen Gold" geht gut

Kräftige Burschen im Pyjama liegen genüßlich rücklings ausgestreckt am Heck, ihre Zehen bedienen mit affenartiger Geschicklichkeit die Ruder. Spindeldürre Mädchen bewegen schwere Lastkähne an langen, mittschiffs montierten Holmen, gegen die sie sich mit ganzem Körpergewicht stemmen. Semiaquatisch lebende Kinderscharen, die alles zum Wasserfahrzeug umfunktionieren, was schwimmen kann, wuseln im Wasser.
Endstation in Ca Mau, der Hauptstadt von Vietnams südlichster Provinz Minh Hai. Manche Ortsteile sind auf dem Landwege kaum erreichbar, zwei Tage lang wird die Ladung der MH 95 auf kleine Kähne verteilt. Sie transportieren die Waren zu Einzelhändlern, deren Geschäfte zum Wasser hin offen sind, weil ihre Kundschaft im Boot ankommt.
Der Salzgehalt des Wassers nimmt zum Meer hin zu, die Reisfelder weichen allmählich der Mangrove. Hier sind Shrimps- und Krabbenzucht die wichtigste Einnahmequelle, der städtische Markt quillt über mit Schildkröten, Krokodilen, Schlangen. Während des Krieges boten die unüberschaubaren Rinnsale und undurchdringlichen Luftwurzeln der Mangrovensümpfe dem Vietcong sicheren Unterschlupf. Noch heute ziehen die Bootsleute vermeintliche Uferböschungen beiseite wie einen Vorhang und verschwinden binnen Sekunden mitsamt ihren Gefährten in den dahinterliegenden Gewässern. Ansonsten ist nicht viel geblieben von den zweitgrößten Küstenwäldern der Erde. Ein Fünftel vernichtete der einzige Chemikalieneinsatz der Amerikaner während des Krieges im Delta, das damals die unentbehrliche Kornkammer der südvietnamesischen Republik bildete und daher weitgehend von den Entlaubungsmitteln verschont blieb. Anhaltend und deutlich verheerender sind aktuelle Schäden durch illegalen Einschlag.
Auf dem Rückweg zockelt die MH 95 von Dorf zu Dorf, lädt die Produkte des Deltas für die Märkte von Saigon: Reis auf dem tiefsten Deck, Holz und Kopra auf dem mittleren, Kräuterballen auf dem Dach. Wir reisen mit dem Duft einer vietnamesischen Wiese. Auf dem oberen Mekong steige ich um, mit der LH 59 Richtung Westen, zwei Tage bis nach Chau Doc an der kambodschanischen Grenze. Cremefarbene französische Kolonialbauten, chinesische Stadthäuser, Tempel und Pagoden mit chinesischen und kambodschanischen Einflüssen – alle ein bißchen heruntergekommen, verleihen der vielleicht schönsten Stadt im Delta einen lasziven Charme. Hier liegt das Grab von Thoai Ngoc Hau. Auf den Befehl dieses Mandarins begann 1780 die Erschließung des Deltas mit dem Bau zweier Kanäle. Wie viele bis heute daraus geworden sind, weiß niemand. Allein die schiffbaren messen über 5000 Kilometer – mehr als der Strom selber. Die erste Brücke über einen der beiden Hauptarme wird nicht vor dem Jahr 2000 stehen. Zumindest bis dahin bleibt das Delta in seiner heutigen Form erhalten: Mensch, Erde und Wasser vereint in einer einzigartigen Naturlandschaft.

Reis bis übers Deck: Dreimal im Jahr können die Bauern hier ernten, nirgendwo sonst im Land gibt es so hohe Erträge

Rainer Scholz, *geb. 1955 in Berlin, freier Journalist und Übersetzer, kennt Vietnam von vielen Reisen.*

Osborne Edition '95 · Photography: Helmut Newton · Concept: Menzel Nolte

OSBORNE

WALDORYX-ANTILOPE

JÄGER TIERE SENSATIONEN

Im Dschungel Vietnams leben zoologische Raritäten. Tiere, die es woanders nie gab. Was der Krieg verborgen hielt, wird im Frieden zur heißen Beute von Wissenschaftlern, Wilderern und Journalisten. Die Schwarzmarktpreise für ganz seltene Vierhufer wie die erst 1994 entdeckte Waldoryx-Antilope haben inzwischen eine Million Dollar erreicht

Das Rätselraten begann mit den beiden Hörnern, die auf dem Saigoner Tiermarkt feilgeboten wurden: schwarz und lyraförmig waren sie, ihre Riffelungen reichten – an der Rückseite durch eine wulstfreie Leiste unterbrochen – bis kurz vor die Hornspitze. Ungewöhnlich. Mehrere Wochen lang untersuchten Wissenschaftler ihren Fund, befragten Einheimische, wälzten Literatur. Dann endlich stand fest: das geheimnisvolle Gehörn mußte zu einer bisher unbekannten Gattung gehören. Groß wie ein kleines Rind soll dieses Tier sein, in den vietnamesischen Grenzprovinzen zu Kambodscha leben und fortan *Pseudonovibus spiralis* heißen. Lebend gesehen hat es bisher offenbar niemand. Erst eine Expedition wird klären, ob es dieses Wildrind tatsächlich noch gibt.

Schon mehrmals führten auf Tiermärkten angebotene Hörner, Geweihe, Schädel, Knochen, Häute und Felle auf die Spur zoologischer Raritäten. Vietnams Fauna ist zur Fundgrube für Wissenschaftler geworden. Trotz jahrzehntelanger Kriege und fortschreitender Zerstörung natürlicher Lebensräume stammen drei der sieben Großsäuger-Arten, die in diesem Jahrhundert entdeckt wurden, aus den Dschungeln Hinterindiens. Größeres Aufsehen noch als ein in Laos gesichtetes Kouprey-Wildrind erregte die Entdeckung der Waldoryx-Antilope in Vietnam: zwei Jahre lang hatten Forscher vergeblich gesucht, bis Hunde eines Schildkrötenfängers 1994 ein weibliches Jungtier stellten. Als letztes ging die Meldung über den legendären Muntjak-Hirsch *(Megamuntjacus vuquangensis)* um die Welt, der im vietnamesischen Naturschutzgebiet von Vu Quang entdeckt wurde. Erstaunlich viele unbekannte Arten halten sich im Dschungel des Nationalparks von Cuc Phuong verborgen. Rund hundert Kilometer südlich der Hauptstadt Hanoi erhebt sich die Schutzzone aus der dichtbevölkerten Schwemmlandebene des Roten Flusses: zwei bis zu 648 Meter hohe, tropenbewaldete Kalksteinformationen, die in ihrer Mitte ein Tal mit überaus fruchtbarem Klima bilden. „Zum Roden zu schade", hatte eine Kommission vor dreißig Jahren befunden. Das war die Geburt des ältesten Nationalparks in Vietnam. Auf einer insel-

VON VOLKER KLINGMÜLLER UND HARRO MAASS (ILLUSTRATIONEN)

LANDKRABBE

Eine der drei Landkrabben-Arten, die nur im Cuc Phoung-Park zu finden sind. Bis vor kurzem wurde sie noch von ahnungslosen Wanderern gefangen und als delikater Snack zum Picknick verspeist

artigen Fläche von nur 250 Quadratkilometern leben in unerforschten Grotten, zwischen uralten Baumriesen und einer bemerkenswerten Flora 36 Reptilienarten, 90 verschiedene Säugetiere, 150 Vogel- und über 1800 Insektenarten. Darunter finden sich zahlreiche Tierarten, die es in der übrigen Welt nicht mehr gibt oder nie gegeben hat: drei Arten von Landkrabben beispielsweise und der Cuc-Phuong-Wels.

Besonderes Augenmerk gilt dem Delacour-Languren, den die Vietnamesen wegen seiner schwarzweißen Fellzeichnung „Kurze-Hosen-Affe“ nennen. Er galt bereits als ausgestorben – bis der Dresdner Biologe Tilo Nadler und der Münsteraner Zoo-Direktor Hans-Jörg Adler in Hanoi einen achtzig Zentimeter langen Schwanz aufstöberten, den man zu einem Staubwedel verarbeitet hatte. Der Fund führte zur Wiederentdeckung von rund fünfzig Delacour-Languren in Cuc Phuong. „Vielleicht“, so Nadler, „verschwinden diese Affen von unserer Erde, bevor wir mehr über sie in Erfahrung bringen können.“ Seitdem wird versucht, den Nationalpark gegen die Zerstörung durch illegalen Holzeinschlag und Wilderer zu verteidigen.

Auf die Behörden im nahen Hanoi kann Nadler nur bedingt zählen. Denn obwohl Vietnam im Januar 1992 ein Gesetz zum Schutz der Fauna und Flora verabschiedet hat und zwei Jahre später dem Washingtoner Artenschutzabkommen beigetreten ist, geht der Raubbau an der Natur ungebremst weiter. „Die Jäger eines seltenen Tieres erregen bei den Forstschutzbehörden weniger Aufsehen als ein Falschparker in Deutschland bei vorbeieilenden Passanten“, klagt Nadler.

Wie gut das Geschäft mit der Wilderei floriert, zeigen die prächtigen Häuser der illegalen Jäger. Von ihnen hat Nadler viel über Fangmethoden, Verbreitung und Lebensgewohnheiten bestimmter Tiere erfahren. Zugleich aber auch, wofür die zoologischen Raritäten Vietnams herhalten müssen: „Dreimal aufkochen lassen, den Kessel bei Vollmond Richtung Süden schwenken und vier Tage ziehen lassen“, lautet ein traditionelles Rezept, wie sich aus einem Affen zähflüssiger Sirup mit angeblich wirkungsvoller Heilkraft gewinnen läßt. Religiös-medizinische Binsenwahrheiten und die ewige Suche nach wirksamen Potenzmitteln haben der Tierwelt Südostasiens genauso zugesetzt wie exotischer Gaumenkitzel – Schlangenschnaps, Schildkröten-Suppe, Tiger-Penis, Bärentatzen-Ragout, Geckos am Spieß oder rohes Affenhirn gelten in diesem Teil der Welt als unverzichtbare Delikatessen.

Zum Schutz von Cuc Phuong ist unter anderem geplant, einen weiteren Teil der restlichen zweitausend Menschen aus dem Park ins Umland auszusiedeln. Um ein Bewußtsein für die zahlreichen Naturwunder Cuc Phuongs zu schaffen, soll der Nationalpark zum Trainingszentrum für staatliche Wildhüter werden. Vor allem gilt es, Ausbildung, Ausrüstung und Motivation der 75 Ranger, die auf ihren Patrouillen eine Begegnung mit Wilderern scheuen, zu verbessern. In einigen Fällen ist es sogar schon gelungen, Wilderer zu Wildhütern zu machen. Zur Rettung Cuc Phuongs setzt Naturschützer Nadler auch auf den Tourismus, um die Öffentlichkeit über die Gefährdung des Parks zu informieren. Als besonders wirksam haben sich die zehn kilometerlangen Wanderpfade durch den Dschungel erwiesen. Sie führen beispielsweise zur Cave of Earlyman, in der Skelette und Steinwerkzeuge prähistorischer Menschen gefunden wurden. Ober zum *Dracontomelum duperreanum,* einem eintausend Jahre alten Baum mit unglaublichen 25 Metern Stammumfang und 45 Metern Höhe.

Daß Öffentlichkeit etwas bewirken kann, hat sich nach Entdeckung der Waldoryx-Antilope und des Riesen-Muntjaks in Vu Quang gezeigt. Nicht zuletzt durch das Interesse der Medien hat sich die vietnamesische Regierung dazu durchgerungen, die Fläche dieses Naturschutzgebietes auf 560 Quadratkilometer zu verdreifachen. Gleichzeitig hat der große Rummel den Wissenschaftlern aber auch zu denken gegeben. Denn schließlich haben sie den Wilderern Jagdgenossen beschert – Journalisten und Fotografen aus aller Welt, die nach neuen zoologischen Superstars suchen. Ein japanisches Fernsehteam versprach Einheimischen, die ihm einen Muntjak-Hirschen vor die Kamera treiben würden, eine Prämie von mehreren tausend Dollar. Wenig später zeigte sich, wie schnell solche Offerten die Sitten verderben: Ein Biologie-Professor der Hanoier Universität legte entsetzt den Telefonhörer auf, als ein Anrufer ihm einen Riesen-Muntjak für „nur eine Million Dollar" verkaufen wollte. Der Frieden tötet hier schneller als der Krieg.

In freier Wildbahn ist der Kurze-Hosen-Affe fast unsichtbar: Tagsüber versteckt er sich in den Wipfeln der Urwaldriesen, zur Nacht verzieht er sich in die schroffen Felsenwände

VOLKER KLINKMÜLLER, *Jahrgang 1961, lebt als Autor seit 1993 in Südostasien.*

HARRO MAASS, *Jahrgang 1939, ist als Illustrator Spezialist für Tierzeichnungen.*

KURZE-HOSEN-AFFE

LAOS Land der Langsamkeit

Nichts scheint sich hier je zu ändern – Laos ist ein unentwickeltes, armes Land. Doch reich an Sanftmut und Würde, an buddhistischer Tradition und ethnischer Vielfalt. Auf Expedition durch eine von der Welt abgewandte Beschaulichkeit gingen Stefan Reisner und Greg Davis (Fotos)

Goldwäscher im Nam-Ou-Fluß: Die Suche nach dem Edelmetall ist mühselige Feierabendbeschäftigung

Dorfältester in Ban Long Lane: Der Stamm der Hmong lebt vor allem vom Opiumanbau

Kein Anfang. Kein Ende. Fluß. Himmel. Am Tempeldach bimmeln die Glöckchen, wenn die Geister um die Ecke fegen. Kholid, der Novize, lacht: „Der Duft von Sandelholz, Jasmin und Rosenholz kann nicht gegen den Wind reisen." Welch rätselhafte Bildersprache. Kholid ist sechzehn, ins Kloster kam er mit sieben, und jetzt lernt er neben den frommen Lektionen in Pali, der Sprache des Theravada-Buddhismus, auch noch Englisch. Wenn der Gong ertönt um fünf Uhr früh, betet er das erste Mal und zieht dann bei Tagesanbruch wie alle anderen Mönche durch die Straßen, nimmt von den Gläubigen den Klebereis entgegen. Stumm, ohne danke, ohne bitte. Mehr wird er den ganzen Tag nicht essen dürfen. Louangphrabang ist eine Stadt der Gebete und Tempel, dreißig Pagoden sind es für 30 000 Einwohner. Von nun an wird unsere Reisegeschwindigkeit immer langsamer werden. Eine Reise in eine verborgene Vergangenheit. Die Uhr über dem Pha Sagnath, dem liegenden Buddha im Wat Xieng Thong, ist schon vor langer Zeit stehengeblieben.

Laos liegt eingeklemmt zwischen China, Vietnam, Birma, Kambodscha und Thailand. Und die waren zumeist nicht friedlich, sondern begehrlich: die Khmer marschierten mit Elefanten-Kompanien ein, um ihre Königreiche zu errichten; die Chinesen räuberten Silber und Gold, War-Lords und land-

Berglao-Frauen unterwegs zum Markt: Muang Sing ist Treffpunkt vieler Minderheiten

Hmong-Trupp mit Jagdbeute: Auf alles, was in Laos kreucht und fleucht, wird geschossen

Kreativität des Mangels: Eine Bombenhülle krönt das Dorfportal; ein zusammengeflickter Lastwagen dient als Langholztransporter

Thai-Dam-Bauern beim Hausbau (Provinz Xiang Khoang): Pfahlhäuser, die Ungeziefer fernhalten und für gute Durchlüftung sorgen, sind typisch für die Siedlungen der Bergvölker

Wäscherinnen am Mekong bei Houayxay: Im Nordwesten ist der Fluß Grenze zu Thailand

Mekong bei Louangphrabang: „Die Mutter aller Flüsse“ kann auch ruhig und gelassen sein

suchende Hawks kamen über die Berge aus Yunnan; die Thai entführten den Jade-Buddha aus Vientiane und schnitten sich ihre Nordprovinzen heraus; die Franzosen machten sich Laos untertan mit dem Versprechen, es gegen das Königreich von Siam zu verteidigen. Gegen die Japaner im Zweiten Weltkrieg gab es keinen Schutz. Ho Chi Minh gehört mit zu den Begründern der Pathet-Lao-Partei, die die Unabhängigkeit von Frankreich erkämpfte. Doch die laotischen Revolutionäre mit der roten Hammer-und-Sichel-Fahne wurden nicht nur von den Vietnamesen, sondern auch von den Russen beraten, ob sie nun wollten oder nicht. So geriet das kleine Laos in die blutige ideologische Auseinandersetzung der Blöcke, die ihren Höhepunkt im Vietnamkrieg fand. Am Ende verordneten die Kommunisten dem Land fast zehn Jahre lang die Isolation, für westliche Reisende wurde Laos zur verbotenen Zone. Beeinflußt von Ho Chi Minh und dem Mao der Kulturrevolution schickte die Partei die Menschen zu Tausenden in Umerziehungslager. Doch der Versuch der Volksbeglükkung mißlang – Ende der siebziger Jahre, als der wirtschaftliche Mißerfolg der Planwirtschaft immer deutlicher würde, und spätestens seit dem Zusammenbruch des Ostblocks durfte Laos wieder hinter seinem Bambusvorhang hervorkommen. Heute redet man von Joint-ventures, von Investitionen und

Hauptstraße von Louangphrabang: Die alte Königsstadt hat heute eher dörflichen Charme

Zentren großer Frömmigkeit: Xieng-Thong-Tempel (Louangphrabang) mit Glasmosaiken; Tham-Thing-Höhle (Pak Ou) mit Buddhastatuen

LAOS

Anleihen. Laos will sich öffnen, will sich an den boomenden Kapitalismus der Tiger-Länder Südostasiens anhängen. So schlagen von allen Grenzen her Bulldozer ihre Zähne in die Wälder, Handelsleute aus China und Thailand touren auf der Suche nach neuen Märkten durchs Land, die Weltbank kündigt Kredite an – Laos soll mit Macht ins dritte Jahrtausend katapultiert werden. Wir aber warten elf Stunden auf unser Flugzeug nach Luang Namtha, der Hauptstadt der nordwestlichen Provinz gleichen Namens an der Grenze zu China. Die Straßen nach Norden seien, so sagt man, durch Banditen unsicher. Oder vielleicht nur unbefahrbar? Neben der Landepiste steht eine Hütte, die als Tower dient, Lampen wie auch das Funkgerät werden von Batterien gespeist, die Uhren stehen still. Luang Namtha dann besteht aus ein paar Betonkästen und Wellblechhütten entlang einer roten Schotterstraße, vor den Türen hocken Männer und rauchen. Im Speisesaal unseres Hotels hängen Bilder von Lenin und Ho Chi Minh, die Zimmer gleichen Holzverschlägen, und über den Pritschen hängen riesige tabakbraune Moskitonetze. Nachts verwandelt sich der ganze Kasten in eine stockdunkle Arche voller hustender, schnarchender, flüsternder Männer.

Wir verlassen die Stadt im ersten Morgengrauen, Greg hat einen Fahrer aufgetrieben, der uns gegen einen Batzen Dollar nach Muang Sing ins Opium-Land nahe der Grenze zur südchinesischen Provinz Yunnan bringen soll. In den abgelegenen Bergtälern wird Mohn angebaut (der beste ist der weißblühende), auf dem Markt in Muang stehen die Frauen und verkaufen klebrig schwarze Knollen – Rohopium aus dem Saft der Mohnkapseln. Buddha kam nie in diese Berglandschaft: Im Goldenen Dreieck von Birma, China und Laos leben nomadisierende Bergvölker, die Lao Soung. Die Bevölkerung von Laos ist keine einheitliche, es gibt weder Mehrheiten noch Minderheiten, sondern eine Vielzahl ethnischer Gruppen. Grob unterschieden nach Tieflandlao (Lao Loum), Bewohnern mittlerer Berglagen (Lao Theung) und den Hochland- oder Berglao. Jedes Dorf hier hat sein eigenes Idiom, seine eigenen Götter, eigene Geister.

Vor drei Jahren wurde das Dorf Honay Luang May von einigen Clans der Iko an den Berghang am Rande des Waldes gebaut. Die Deutsche Gesellschaft für Technische Zusammenarbeit (GTZ) half dabei, man verkleidete die Pfeiler des kommunalen Reisspeichers mit Zinkblech, um die Ratten am Hochklettern und damit auch an der Schädigung der Ernte zu hindern. Also sind wir willkommen. In seiner verqualmten, fensterlosen Hütte begrüßt uns auf Reismatten hockend der Dorfälteste mit Tee, derweil im höheren Mezzanin, das nur von Frauen betreten werden darf, sich die Hausfrau ausgestreckt hat. Nachdem wir eine Weile geplaudert haben, erhebt sich die Frau von ihrem Lager und legt uns zu Ehren ihren Kopfschmuck an: eine Krone aus Silbermünzen, den Brautpreis. Er ist das Bankkonto der Familie.

Die Iko sind Wanderbauern, die durch die Wälder von Birma, China und Laos ziehen. Wo sie sich niederlassen, schlagen sie ein Stück Wald, brandroden das Land und bauen dann Reis, Mohn und Mais an. Bis heute kennen sie keine Schrift; Zahlungsmittel sind noch immer die alten silbernen Indochina-Piaster. Oder auch Opium, das jede Familie produziert. Doch selbst dieser abgelegene Lebensraum wird für die nomadisierenden, autarken Bergvölker immer enger, seit es sich unter den Bauern aus Yunnan herumgesprochen hat, daß es hier noch Wasser und Land geben soll. Immer mehr Chinesen wandern über die grüne Grenze ein.

Die Welt der Iko ist voller Geister und Tabus. So müssen der höhere Geist der Ahnen Apeuaopi und sein Gehilfe, der Geist des Hauses Armadame, besänftigt werden, auf daß nicht Hunger und Krankheit über die Familie kommen. Doch auch der heilige Ahnenbaum, der von Generation zu Generation weitervererbt wird und als Holzpfeiler in der Mitte eines jeden Hauses steht, ist kein absoluter Schutz: Hier in Honay Luang May, so berichtet der Dorfälteste, hätte es soeben eine Zwillingsgeburt gegeben. Dies aber ist für die Iko die schlimmste Strafe, die eine Familie treffen kann – eine Zwillingsgeburt unterbreche die männliche Ahnenreihe. So wurden die Neugeborenen augenblicklich getötet und von einem opiumkranken Greis, um den sich Geister nicht mehr kümmern, im Wald verscharrt. Auf die Tötung folgt der finanzielle Ruin für die armen Eltern: Das Geburtshaus muß niedergebrannt, der Schamane mit Opfergaben versöhnt, das Dorf für Monate verlassen werden.

Sonst aber verläuft das Familienleben der Iko friedlich und offen. Noch vor der Heirat probieren Jungen und Mädchen die Ehe: Möchte er mit ihr sexuellen Verkehr, berührt er ihre Brust mit der Hand. Neben dem Elternhaus steht eine Hütte, in der man zusammenkommt – voreheliche Schwangerschaft gilt als ein gutes Zeichen.

Wir nippen am Tee, und der Hausherr ist froh, als wir endlich aufbrechen, ohne größere Tabus verletzt zu haben: Wir gehen durch die Tür hinaus, durch die wir gekommen sind. Und wir haben seine Frau nicht nach ihrem Namen gefragt. Fremde, so die Iko, benehmen sich oft wie die Barbaren und beleidigen die Götter.

Phon Sa Van ist noch immer ein Provisorium aus Beton, Wellblech und Staub. Gleich vielen anderen Ortschaften der an Vietnam angrenzenden Provinz Xiang Khoang wurde auch ihre Hauptstadt durch Flächenbombardements völlig zerstört. Von 1964 bis 1973 flogen die B-52-Bomber der Amerikaner 580 344 Einsätze über Laos und warfen mehr als zwei Millionen Tonnen Bomben auf vier Millionen Einwohner ab. Die einsame Hochebene von Xiangkhoang war ein strategischer Knotenpunkt – Aufmarschgebiet der nordvietnamesischen Armee. Hier habe er seine Kindheit, in Erdlöchern versteckt, inmitten von Wäldern verbracht, erzählt unser Dolmetscher Poon. Mit Nächten, taghell erleuchtet von Magnesiumbomben. Schließlich gaben ihn seine Eltern vietnamesischen Soldaten mit, „ins sichere Vietnam“. Er berichtet, wie er sich an einen Soldaten klammern mußte, der sich an einem Seil über den Fluß hangelte. In Vietnam wurde Poon in eine Schule geschickt, „alles unter der Erde“; dort lernte er die Sprache, von der er heute lebt, Englisch.

Gleich Pocken bedecken die unzähligen Bombenkrater das einsame Hochland; Reisenden wird empfohlen, sich nur auf festen

Wegen zu bewegen. Noch immer ist die ganze Provinz übersät mit Hunderttausenden „Bombies", faustgroßen tückischen Splitterbomben. Die Bauern leben inmitten der Gefahr, sie laufen mit vorsichtigen Schritten, immer darauf bedacht, keine unbekannten Gegenstände zu berühren. In den leeren Bombenkratern blüht der Mohn – Heroin für den amerikanischen Markt? Gleich hinter den Militärbaracken beginnt die Vorzeit: Die „Ebene der Tonkrüge" erstreckt sich über viele Hektar – eines der ungelösten Rätsel der Weltgeschichte. Rund 300 der etwa 600 Kilo schweren, mannshohen Krüge liegen im Gras verstreut. Niemand weiß, welche Völker diese monumentalen Gefäße hier aufgestellt haben, woraus sie sind, wozu sie dienten. Waren sie Weinkrüge, Reisspeicher, Urnen unbekannter Königsfamilien? Was man vage kennt, ist ihr Alter von ungefähr 2000 Jahren.

Weiter mit einer klapprigen russischen Limousine zum Nam-Ou-Fluß. Es sind nur rund 300 Kilometer, aber die Straßen sind voller Schlaglöcher. Manchmal geht es durch Bachläufe, dann wieder steile Pisten bergauf, so daß wir zwei Tage brauchen. Vorbei an Dörfern der Hmong Lay, eines vor Jahrhunderten aus China eingewanderten Stammes. Die Frauen tragen kunstvoll bestickte Röcke aus indigoblauem Tuch. Am Abend Übernachtung in einem beliebigen Haus in einem beliebigen Straßendorf: Man bietet uns das Wohnzimmer zur Übernachtung an. Wir wachen erst auf, als die Hähne im Morgengrauen ihr Palaver beginnen, erst wenige, dann immer mehr, bis sich das Gekrähe ausnimmt wie eine den Erdball umspannende Kommunikation. Auf der Dorfstraße putzen wir uns die Zähne und wechseln die Hemden.

Spät erreichen wir die Ortschaft Muang Ngoiam am Nam-Ou-Fluß, und der Bootsmann läßt sich überreden, uns noch heute nach Louangphrabang zu bringen. Wir laden Obst und Bier ein, reichen das Gepäck ins schaukelnde Langboot, der Motor heult auf. Es wird eine lange Fahrt. Untiefen und verborgene Felsen müssen umschifft werden, manchmal steht eine Bergwand senkrecht inmitten der sprudelnden Flut, dichter Verkehr macht den Strom zum Boulevard. Keuchende kleine Dampfer kommen uns entgegen, wir überholen elegant paddelnde Frauen und Kinder, passieren Lastkähne, die von ihren Frachten tief ins Wasser gedrückt werden. An den flachen Stellen des Flußbettes liegen Flöße im glitzernden Wasser, hier suchen Familien nach Goldstaub. Großmütter, Kinder – alle kratzen mit Kübeln den Flußsand ab, kräftigere Frauen schütteln das Erdreich in ihren Holzschüsseln. Dann wieder schießt unser Boot Stromschnellen hinunter, schrammt einige Male auf Grund. Unterhalb der Pak-Ou-Höhlen, die in senkrechte Kalksteinfelsen gehauen sind, gleiten wir dann in den Mekong hinein, oben in einem der vielen Felseinlässe hockt ein von Kerzen beleuchteter Buddha. Mitten in der Nacht machen wir endlich am Steg von Louangphrabang fest. Überall Licht; es ist uns, als seien wir aus archaischen Zeiten heimgekehrt in die Gegenwart.

Bis 1975 war Louangphrabang Königssitz des vereinten Königreiches Laos. Und würde die Stadt nicht immer noch von ihren royalen Erinnerungen leben, wäre sie auch nur eines der üblichen Provinznester. Wir übernachten in der Villa der Prinzessin, einem kleinen feinen Hotel, das nicht nur so heißt, sondern auch wieder im Besitz der königlichen Familie ist. Am nächsten Morgen bringen wir unsere Schuhe, die sich langsam auflösen, zum Flickschuster auf den Markt. Gleich daneben ist ein Stand mit Wasserpistolen, bald feiern die Laoten ihr Neujahrsfest, und es ist Sitte, an diesem Tag möglichst viel Wasser zu verspritzen – Weglaufen ist nicht erlaubt bei dieser symbolischen Reinigung für den Eintritt ins Neue Jahr.

Um in die Hauptstadt Vientiane zu kommen, klettern wir wieder in den „fliegenden Bus", so umschreiben die Laoten das Flugzeug, das nach ihrer Auffassung das einzig angemessene Fortbewegungsmittel für Ausländer ist. Man hat es in diesem Land, das sich viele Devisen und darum keine Rucksacktouristen wünscht, nicht gern, wenn die Fremden die einfacheren öffentlichen Verkehrsmittel benutzen. Die Hauptstadt ist eine mit unaufgeregtem Kleinstadtflair. Auf einer hölzernen Restaurantterrasse über dem Mekong sitzen die Leute, trinken Bier aus großen Krügen und blicken hinüber nach Thailand. Warten auf ein besseres Morgen – in den frühen Siebzigern war Vientiane eine Art Shangri La, hier gab es billig Dope, und in den Nachtclubs wurde bis in den Morgen getanzt. So soll es aber nicht wieder werden.

Pakxe, Hauptstadt und wirtschaftliches Zentrum der südlichen Provinz Champasak, ist noch gemächlicher. Um vier Uhr schließen die Geschäfte, um sechs Uhr stellen die Taxifahrer den Verkehr ein, und es kostet Geld und Gesten, den Fahrer zur Fahrt nach Vat Phu zu bewegen, der zweiten archäologischen Attraktion dieses Landes. Unter duftenden Magnolien-Wäldern, überwuchert von Lianen und im Schatten vielhundertjähriger Banyan-Bäume, liegen die Ruinen der hinduistischen Tempelanlage. War es die Hauptstadt des Khmer-Reiches Chenla? Ein Heiligtum der Cham? Auch dies ein Rätsel, streng monumental und 300 Jahre älter als die ersten Bauten von Angkor. Wir sind allein, der Palast und der Tempel mitgenommen von Zeit und Krieg. Die lächelnden Götter und vollbusigen Göttinnen grüßen mit Gleichmut.

Weiter durch eine Wüstenei abgeholzter Wälder. Große Lastwagen kommen uns entgegen, beladen mit meterdicken Mahagoni-, Teak- und Rosenholzstämmen. Wertvolle Exportware, Laos ist reich an Edelhölzern. Man erzählt uns, daß in der Nähe im Niemandsland zwischen Laos und Kambodscha die Khmer Rouge ein Warenlager von 25 000 Baumstämmen bewachen, durch deren Verkauf sie ihren Guerillakrieg finanzieren.

Das Auto bringt uns am nächsten Tag zur Grenze nach Thailand, wir müssen hinüberlaufen. In der laotischen Grenzstation treffen wir auf einen schlafenden Polizisten. Als wir ihn wecken, verlangt er eine Gebühr für „Überstunden"-Arbeit. Auch in seinem Büro ist die Uhr stehengeblieben.

STEFAN REISNER, *geb. 1942, lebt seit 1988 in Hongkong und bereist Südostasien und China als freier Korrespondent für deutsche Zeitungen und Magazine.*

GREG DAVIS, *geb. 1948, ist seit seiner ersten Fotoreportage 1967 immer wieder nach Asien zurückgekehrt. Er arbeitet frei für große internationale Magazine und ist ständiger Mitarbeiter des* Time Magazine. *Er lebt in Tokio.*

Auf einen Blick

Land und Leute

Wenn ein deutscher Reporter in Vietnam recherchiert, kann man sicher sein, daß er mit zwei sensationellen Entdeckungen zurückkehren wird: a) Die Wachstumsbranche Prostitution wuchert („... fast schon so verbreitet wie im sündigen Saigon der siebziger Jahre"), und b) der Vietnamese lächelt stets, handelt es sich bei ihm doch um einen Asiaten. Der Mitarbeiter eines nicht unwichtigen deutschen Nachrichtenmagazins teilte seinen Lesern mit: „Verblüffend ist die Gleichgültigkeit der Bewohner." Natürlich hat er Gleichmut gemeint – aber tragisch war dieser Lapsus nicht: so oder so, ganz wird man den Vietnamesen, das unbekannte und unergründliche Wesen, ja ohnehin nie verstehen.

Beginnen wir also damit, was der Vietnamese vermutlich nicht ist. Leider muß man erwähnen, daß er weitaus seltener lächelt als allgemein angenommen. Tatsächlich sind Vietnamesen extrem cool und verziehen möglichst selten die Miene. Fremden begegnen sie ohne die geringsten Anstalten, ihrem Gesicht einen freundlichen Ausdruck zu verleihen. Es kommt vor, daß ein Fahrradfahrer ruckartig seinen Kopf dreht, um Sie zu begaffen, und daß er seine Tour unterbricht, um Sie nicht mehr aus den Augen zu lassen. Doch niemals wird er dabei sein unbewegtes Pokerface verziehen. In dem Land laufen also keineswegs nur zuvorkommend lächelnde Menschen herum – und schon gar nicht, wenn es sich um Fahrer von Cyclos handelt.

Wenn Sie die Sprache verstünden, würden Sie vor Schreck zusammenzucken angesichts dessen, was man Ihnen nach gescheiterten Basarfeilschereien hinterherzischt. Bei einem sinngemäßen „Trottel, hau ab!" bleibt es keineswegs.

Der Mensch zwischen Hanoi und Saigon ist im Laufe seiner Geschichte von so vielen Besatzern und Nachbarn – Chinesen, Japanern, Franzosen, Amerikanern – überfallen und gequält worden, daß man sich nicht wundern muß, wenn Vorsicht seine Mentalität prägt. So können Sie der beste Freund eines Vietnamesen werden – aber insgeheim wird er bei Ihnen stets auf das Schlimmste gefaßt sein. Denn er weiß – auch dank der kommunistischen Propaganda, derzufolge alle anderen Gesellschaftssysteme von Übel sind –, daß in Deutschland, mal pauschal betrachtet, jeder Ausländer mit nichtweißer Hautfarbe totgeschlagen wird. Von diesem vermeintlichen Automatismus ausgenommen sind allenfalls die Japaner, die als besonders reich und angesehen gelten.

Dementsprechend kursiert unter Ihren potentiellen Freunden folgender Ratschlag: „Wenn du jemals in die Verlegenheit kommen solltest, nach Deutschland reisen zu dürfen, dann hänge dir unbedingt eine Kamera um, damit die Leute glauben, daß du ein Japaner bist. Nur dann bist du einigermaßen sicher." Ein weiterer Irrtum ist, daß der Vietnamese bis zur Selbstverleugnung gastfreundlich sei, was besonders die ehemaligen GIs glauben, die sich auf *sentimental journey* befinden und baß erstaunt sind, daß Kinder sie nicht mit Handgranaten bewerfen, sondern ihnen Kaugummi hinterhertragen. Die wuselige Meute, die dem Fremden hinterherschlappt, will eigentlich nur eins: Dollars. Für diesen Zweck werden schauspielerische Talente höchsten Grades entwickelt: Sobald Sie Platz genommen haben, erleiden die Fahrer der Cyclo-Taxis regelmäßig einen herzzerreißenden Asthma-Anfall, der die Mühsal ihrer Tätigkeit bezeugt. Schuldbewußte Amerikaner *(political correctness!)* und andere Touristen, die locker drei Dollar für kurze Fahrten spendieren, zahlen damit meistens das Zehnfache des Normaltarifs. Kalkül ist deshalb schon dabei, wenn die Dienstleistenden frohgelaunt auftreten. Oft vergessen wird bei dem Phänomen der ach so herzlichen Gastgeber, die ohne jegliches Rachegefühl die Kriegsschrecken vergessen haben, auch dies: 39 Prozent aller Vietnamesen sind unter 15 und interessieren sich weit mehr für westliche Luxusgüter à la Honda Dream, denn für verstaubte Heldentaten, wie sie General Giap und Parteigenossen vollbracht haben.

■ Cyclo-Fahrer wollen Geld: wenig für viele Kinder, reichlich von manchem Dollarbesitzer

Dennoch, vielerorts hinterließ der Krieg Spuren, die sich nicht tilgen lassen. Dazu gehören Krüppel, die ohne Rollstuhl auf allen vieren die Straße entlangrobben und bettelnd ihren Lebensunterhalt verdienen oder die mit selbstgebastelten Holzkrücken von Haustür zu Haustür ziehen, um Lose zu verkaufen. Weinerlichkeit wird man hier nicht antreffen. Vielmehr Gleichmut. Nur Europäer können annehmen, dabei handle es sich um Gleichgültigkeit.

Das Geheimnis in diesen und in vielen anderen Fällen ist Pragmatismus – wenn es einen typisch vietnamesischen Wesenszug gibt, dann die Fähigkeit, sich mit den Gegebenheiten zu arrangieren. Das Prinzip lautet: Versuche nicht, die Umstände zu verändern, sondern finde die beste Möglichkeit, dich darin einzurichten. Dies geschieht sehr still; ein Beispiel dafür ist die Art und Weise, wie man in Vietnam Probleme löst. Es kommt vor, daß Sie – aus vermeintlich unerfindlichen Gründen – mit einem Anliegen gegen die Wand laufen. Ihr Gesprächspartner erklärt Ihnen, daß dies und jenes ganz und gar unmöglich sei. Er wird tausend Ausflüchte aufzählen und sich dann wahrscheinlich taub stellen. Es wäre zwecklos, ihm auf die Sprünge helfen zu wollen – Harmonie geht über alles, und Umwege sind hier geradezu Pflicht.

NGUYEN LOAN BROSSMER

Mit alten Werten zu neuem Reichtum

Vietnam ist in einer paradoxen Situation: Eine der chancenreichsten Volkswirtschaften, der es in die Wiege gelegt zu sein schien, ganz vorne neben Japan und den „Vier Tigern" mitzuspielen, gehört ökonomisch noch immer zu den Schlußlichtern Asiens. Ursache dafür sind fast dreißig Jahre Krieg (1946–1975), 21 Jahre Kriegswirtschaft (1965–1986), 25 Jahre stalinistische Bevorzugung der Schwerindustrie (1961–1986), 10 Jahre Kambodscha-Abenteuer (1979–1989) und 30 Jahre amerikanisches Wirtschaftsembargo (1964–1994). Ursache ist aber auch die andauernde Bevölkerungsexplosion, die dafür sorgt, daß der Zuwachs bei jährlich 2,25 Prozent liegt – jedes Jahr werden eine Million Vietnamesen geboren.

Trotz dieser rabenschwarzen Bilanz gibt es aber auch Hoffnung: Immerhin gehört Vietnam mit seinen Kohle-, Rohöl-, Reis- und Kautschuk-Ressourcen zu den rohstoffreichsten Ländern Südostasiens, verfügt über beträchtliche Wasserenergiepotentiale, kann auf die Mithilfe von zwei Millionen Viet-kieu (Auslandsvietnamesen) rechnen und hat eine Bevölkerung, deren metakonfuzianisches Wertesystem für das industrielle Zeitalter wie geschaffen scheint. Metakonfuzianismus ist eine von Werten der Tradition geprägte und immer noch unmittelbar auf das Alltagsverhalten einwirkende Haltung, bei der Gemeinschaftsdenken („Wir" statt „Ich"), Hierarchie, Stabilitätsgesinnung, Lerneifer und Bürokratievertrauen eine ausschlaggebende Rolle spielen, und die auch für Länder wie Japan, Taiwan, Korea, Singapur oder Hongkong prägend ist. Wirtschaftlich sind es neben der Risikobereitschaft, die bisweilen bis zum Fatalismus geht, vor allem vier Elemente, die den Erfolg der metakonfuzianischen Welt mitbegründet haben: Leistung, Fleiß, Sparsamkeit – und Kooperativität. Denn während die meisten der südostasiatischen Gesellschaften nur schwachen sozialen Zusammenhalt garantieren, arbeitet man in der metakonfuzianischen Welt Vietnams traditionell in Gemeinschaften wie Familie, Dorf, Betrieb. Jahrzehntelang blieben diese Schätze ungenutzt, da Ho Chi Minh und seine Nachfolger glaubten, dem vietnamesischen Volk mit marxistischen Methoden und mit sozialistischen Verbündeten eine bessere Alternative bieten zu können. Erst nachdem die Siegeseuphorie der siebziger Jahre verflogen und das Land starke wirtschaftliche Rückschläge erlebt hatte, begann auch hier, ähnlich wie beim nördlichen Nachbarn China, das Reformzeitalter – und damit gleichzeitig auch ein Prozeß der „Retraditionalisierung": anfangs noch voller Selbstzweifel, dann aber, nach dem VI. Parteitag (1986), mit zunehmender Geschwindigkeit und schließlich sogar mit wachsender Begeisterung, die allerdings durch die Krise Osteuropas und durch den Zusammenbruch der Sowjetunion einen Dämpfer bekam. Gleichwohl setzte die Kommunistische Partei Vietnams (KPV) nun erst recht auf Reformen: Der Übergang von der zentralen Planung zur Marktwirtschaft, der bereits 1986 beschlossen worden war, und die Zulassung von ausländischen Joint-ventures (1988) wurden beschleunigt. Gleichzeitig beschloß die Partei, zwar weiter am Sozialismus festzuhalten, aber voll auf Westkurs zu gehen und zum ersten Mal sogar die eigene Vergangenheit selbstkritisch aufzuarbeiten. Hand in Hand mit der Westorientierung entstanden in dieser Zeit auch die ersten Wirtschaftssonderzonen.

■ Fleiß, Leistung, Niedriglöhne: Vietnam ist ein Arbeitgeberparadies, zumal für die Textilbranche

Grunddaten

Fläche
Vietnam .... 331 689 km^2
– Küstenlinie .... rd. 3250 km
Laos .... 236 800 km^2
Kambodscha .... 181 035 km^2
(zum Vergleich:
Deutschland .... 356 733 km^2)

Staatsform
Vietnam .... Republik
Laos .... Republik
Kambodscha .... Monarchie

Bevölkerung (1994)
– Vietnam .... rd. 73 Mio. Ew.
Ew. je km^2 220
– Laos .... rd. 5 Mio. Ew.
Ew. je km^2 20
– Kambodscha..... rd. 10 Mio. Ew.
Ew. je km^2 55

Erwerbstätige (1993)
Vietnam .... 49 %
Laos .... 45 %
Kambodscha .... 41 %

Bildung (1992)
Analphabeten (15 Jahre und älter):
Vietnam .... 11 %
Laos .... 45 %
Kambodscha .... 62 %

Tourismus (1990)
Vietnam .... 180 000 Besucher
Laos .... 25 000 Besucher
Kambodscha .... 3300 Besucher

Beim VII. Parteitag (1991) dachte die Partei bis ins Jahr 2000 und erarbeitete eine wirtschaftliche und gesellschaftliche Entwicklungsstrategie, die Marktmechanismus und Produktion (anstelle des Klassenkampfes) in den Vordergrund rückte. Leistung statt Gleichmacherei, Management statt Bürokratie, Marktwirtschaft statt Politökonomie, Effizienz statt ideologischer Korrektheit und mehr Markt, weniger Staat: dies waren die Hauptmaximen der Neubesinnung. Ferner sollten Betriebe künftig ihre Angelegenheiten selbst entscheiden. Vor allem aber galt es, Preisbindungen zu beseitigen und an ihrer Stelle den Angebots-/Nachfrage-Mechanismus wirksam werden zu lassen. Alle diese Maßnahmen wurden von den meisten Vietnamesen mit erhöhter Leistung quittiert.

Schon bald stellten sich die ersten Erfolge ein. Die Wachstumsrate des Bruttoinlandsprodukts stieg 1993 auf neun Prozent an und könnte bereits Ende 1996 zweistellig werden. Gleichzeitig ging die Inflation, die zu Beginn der achtziger Jahre noch um die 1000 Prozent geschwankt hatte, Ende 1994 auf knapp 10 Prozent zurück, und nicht zuletzt durchbrach die Ernte von 1993 die Schallmauer von 25 Millionen Tonnen Reis; bereits 1989 hatte Vietnam wieder Reis exportieren und dabei auf Anhieb Platz drei hinter Thailand und den USA belegen können. Auch bei Tee und Kautschuk sowie Kaffee erzielt Vietnam mittlerweile beträchtliche Zuwachsraten.

DATEN ZUR GESCHICHTE

VIETNAM
700–111 v. Chr. Frühe vietnamesische Reiche im Delta des Roten Flusses
111 v. Chr. Han-China macht das Reich zur chinesischen Provinz *Giao Chi;* es bleibt über 1000 Jahre unter chinesischer Kontrolle
939 n. Chr. Gründung eines unabhängigen Vietnam *(Dai Co Viet)*
1010 Gründung der Hauptstadt Thang Long (Hanoi)
1224–1428 Kriegerische Auseinandersetzungen mit den Mongolen und dem hinduistischen Cham-Staat im Süden führen 1400 zur erneuten Herrschaft Chinas
1428–1672 Le Loi vertreibt die Chinesen und wird zum Kaiser gekrönt
1862 Südvietnam wird französische Kolonie
1940–45 Phase der japanischen Okkupation
2. 9. 1945 Erklärung der Unabhängigkeit Vietnams durch Ho Chi Minh
1946–54 (französische) Phase des Indochinakrieges
1964–73 (amerikanische) Phase des Krieges
1973–75 (vietnamesische) Phase endet mit der Niederlage Südvietnams
2. 7. 1976 Wiedervereinigung und Gründung der Sozialistischen Republik Vietnam
15.–18. 12. 1986 Reformbeschlüsse zur wirtschaftlichen Erneuerung *(doi moi)*
1995 Anerkennung Vietnams durch die USA (Anfang Juli). Aufnahme als 7. Mitglied in die Vereinigung südostasiatischer Staaten (ASEAN)

LAOS
Etwa vom 8. Jh. an Einwanderung des Thai-Volkes der Lao aus Südchina und vermutlich Nordvietnam in das heutige Laos
1353–73 Gründung des Lane Xang Reiches (Land der Millionen Elefanten); der Buddhismus wird zur Staatsreligion erhoben
1571–1637 Zeit innerer Unruhen und des schnellen Herrscherwechsels
1637–94 Zeit des Friedens und der kulturellen Blüte; Laos wird zu einem Kernland des Buddhismus
1694–1892 Das Reich zerfällt in die drei Königstümer Vientiane, Champasak und Louangphrabang
1893 Laos wird Teil von Französisch-Indochina
1941–45 Phase der japanischen Okkupation
12. 10. 1945 Verkündigung der Unabhängigkeit
1946 Frankreich beginnt mit der militärischen Rückeroberung Indochinas
1954 Laos wird endgültig unabhängig
1957–73 Machtkämpfe zwischen Royalisten und der Pathet Lao sowie mehrere Staatsstreiche stürzen Laos in die Krise
2. 12. 1975 Die Pathet Lao siegt im Bürgerkrieg und ruft die Volksrepublik Laos aus
1975–86 Nach einem anfänglichen harten Kurs setzen unter Präsident Souphanouvong Ende der siebziger Jahre Wirtschaftsreformen ein
14. 8. 1991 Annahme einer Verfassung ohne Festschreibung auf den Sozialismus

KAMBODSCHA
Etwa 2.–6. Jh. n. Chr. Reich Funan unter dem Einfluß indischer Kultur im Mekongdelta
802–850 Jayavarman II. begründet das Angkor-Reich, den ersten vereinten Khmer-Staat
1113–50 Suryavarman II. läßt den Tempelkomplex Angkor Wat bauen
1181–1218 Größte Ausdehnung des Reiches unter Jayavarman VII.; der Theravada-Buddhismus wird Staatsreligion
1431–1862 Das Land gerät immer wieder unter die Kontrolle Vietnams und Thailands
1863 Kambodscha wird französisches Protektorat
1866 Phnom Penh wird Hauptstadt
23. 4. 1941 Inthronisation Norodom Sihanouks
9. 11. 1953 Unabhängigkeit von Frankreich
1955–70 Abdankung Sihanouks als amtierender König, von 1960 an Staatschef
18. 3. 1970 Putsch des prowestlichen Lon Nol: Abschaffung der Monarchie und Ausrufung der Khmer-Republik am 9. 10. 1970
17. 4. 1975 Nach jahrelangen Kämpfen gegen die Regierung Sieg der Roten Khmer und Beginn des Terrorregimes unter Pol Pot
7. 1. 1979 Einmarsch vietnamesischer Truppen; Sturz der Roten Khmer
1988–89 Abzug der vietnamesischen Truppen
23. 10. 1991 Friedensvertrag von Paris regelt die vorübergehende Abtretung der Staatsgewalt an die Vereinten Nationen
15. 3. 1992–24. 9. 1993 Entwaffnung der Kriegsparteien und erste freie Wahlen
24. 9. 1993 Rückkehr zur Monarchie und erneute Krönung Sihanouks; der Konflikt mit den Roten Khmer schwelt weiter

Allerdings hat das Wachstum seinen sozialen Preis. Es gibt Hunderte von konkursreifen Betrieben, Millionen von Arbeitslosen sowie eine allgemeine Knappheit an Finanzmitteln. Gleichzeitig wächst das Einkommensgefälle zwischen staatlichen Angestellten und privaten Unternehmern – und als Folge Korruption und Schmuggel. Vor allem aber greift in den Städten der soziale Spaltpilz um sich: Schon heute leben dort die Menschen in zwei Gesellschaften – in einer kapitalistischen, deren Mitglieder Privatunternehmen betreiben, auf dem Schwarzmarkt einkaufen, ihre Kinder in Privatschulen schicken und zu Ärzten eigener Wahl gehen, und in einer sozialistischen, in der sich die staatlichen Bediensteten mit Jahreslöhnen von umgerechnet 300 bis 400 Mark zufriedengeben müssen. Angesichts dieser wachsenden Kluft gibt es nur zwei Lösungen: entweder zurück zum jahrzehntelang praktizierten Gleichheitsdenken oder aber vorwärts in eine neue Leistungsgesellschaft, die Risiken wie Konjunktureinbrüche und Inflationsschübe vorübergehend in Kauf nimmt.

Spätestens seit 1986 glaubt sowohl die Bevölkerung als auch die schnell wachsende Führungsschicht, daß für Vietnam einzig und allein der zweite Weg in Frage kommt, nicht zuletzt deshalb, weil nur das westliche Ausland für Investitionen gewonnen werden kann. Denn unentbehrlich ist die Mithilfe der Industrieländer bei der Modernisierung der Eisenbahnstrecke von Hai Phong nach Saigon, für die ein Zug heute noch immer 48 Stunden braucht. Ferner bei der Erneuerung des Fahrzeugsparks und der Telekommunikation, nicht zuletzt auch beim Umbau der Hauptschlagader des Landes, der Nationalstraße Nr. 1, die mit Buckeln und Schlaglöchern übersät ist und deren Brücken sich vielfach in vorkolonialem Zustand befinden. Außerdem hat Vietnam einen gewaltigen Nachholbedarf an Kapital, Management und Technik, der im Gefolge des Zusammenbruchs der „sozialistischen Bruderländer“ nur noch aus dem kapitalistischen Ausland kommen kann. Vor allem Taiwan, Hongkong, Südkorea, Australien und Japan sind seit 1988 mit rund 7,5 Milliarden US-Dollar eingestiegen, zunächst hauptsächlich im Tourismus- und Erdölsektor, neuerdings aber auch im Industriebereich. Fast scheint es, als betrachteten viele Investoren die 73 Millionen Vietnamesen plötzlich als 73 Millionen potentielle Käufer – und preiswerte Arbeitskräfte. Geographischer Magnet für Investitionen war von Beginn an die Hauptstadt Saigon.

Bis 1986 war die Politik der Mittelpunkt aller Erwägungen, seither ist es die Wirtschaft, die Wirtschaft und nochmals die Wirtschaft. Im Zuge dieser Entwicklung hat Vietnam sein Haus auch außenpolitisch in Ordnung gebracht: 1989 zog es seine Truppen aus Kambodscha zurück, streckte seinen südostasiatischen Nachbarn wieder die Hand entgegen, bereitete seinen Beitritt zum Sechser-Bündnis der südostasiatischen Nationen (ASEAN) für 1995 vor, söhnte sich mit China aus und hat nun am Ende auch seinen Frieden mit den Vereinigten Staaten gefunden: Haupterfolg war die Aufhebung des Handelsembargos durch die Clinton-Regierung im Frühjahr 1994. Die Anerkennung durch die Vereinten Nationen im Juli 1995 gilt im Vergleich mit dem wirtschaftlichen Durchbruch als zweitrangig.

OSKAR WEGGEL

Der Autor, geb. 1935, ist Referent am Institut für Asienkunde in Hamburg und gehört zu den besten Kennern Indochinas.

Der Krieg, in dem jeder verlor

Für eine ganze Generation ist Vietnam gleichbedeutend mit Krieg. Studenten in fast allen westlichen Ländern haben in den sechziger Jahren mit Leidenschaft gegen das militärische Engagement der Vereinigten Staaten in Vietnam demonstriert. Der Protest richtete sich gegen die Brutalität eines Krieges, der ungerecht erschien, der ein Land zerstörte, von dem die meisten Demonstranten kaum mehr als eine vage Vorstellung seiner geographischen Lage besaßen. Daß Vietnam auch heute noch im Bewußtsein der Öffentlichkeit einen besonderen Stellenwert einnimmt, hat mit dieser historischen Erfahrung zu tun. Mit einem Krieg, der 1946 als Aufstand gegen die französische Kolonialverwaltung begann und 1975 mit einem spektakulären Sieg über die Amerikaner endete. Vietnam ist von 29 Jahren Krieg, Zerstörung, Opfer und Tod so nachhaltig geprägt worden, daß der Friede die Kraft der Regierung überforderte. „Krieg zu führen ist einfach", hat der damalige Ministerpräsident Pham Van Dong geklagt, „aber ein Land zu regieren, ist sehr schwierig". Erst allmählich rückt der Krieg, rücken die Spuren der großen Militäroperationen in den Hintergrund. Aber niemand wird das Vietnam der Gegenwart verstehen ohne Kenntnis des fast dreißig Jahre währenden Krieges, der sich in der historischen Perspektive als ein großer Irrtum, als tragisches Mißverständnis darstellt.

■ David gegen Goliath: Gefangennahme des US-Majors Dewey Waddell im Norden Vietnams (1967)

Daß Frankreichs Kolonialarmee die politische und materielle Hilfe des Westens, besonders der Vereinigten Staaten erhielt und daß der vietnamesische Anspruch auf nationale Unabhängigkeit nach 1945 mißachtet wurde, hatte mit Urängsten des beginnenden Kalten Krieges zu tun. Mit der Furcht vor einer roten Flut, die ohne einen militärischen Dammbau ganz Südostasien überspülen würde. Die Viet Nam Doc Lap Dong Minh Hoi (Liga für die Unabhängigkeit Vietnams) – von der westlichen Presse kurz Vietminh genannt – unter Führung Ho Chi Minhs hatte wegen der kommunistischen Grundfärbung keine Anerkennung als legitime Vertreterin des Vietnamesischen Nationalismus gefunden. Neun Jahre lang führte die Vietminh einen blutigen „kleinen Krieg" gegen das Expeditionsheer Frankreichs. Im Bergdorf Dien Bien Phu, ganz im Nordwesten Vietnams und nahe der Grenze zu Laos, schlug die Untergrundarmee im Mai 1954 ihre letzte große Schlacht gegen Frankreich und erzwang damit den Abzug der Kolonialmacht. Die UdSSR und sogar das kommunistische China wirkten bei der Genfer Friedenskonferenz im Sommer 1954 mit, um Vietnam am 17. Breitengrad zu teilen und nur den nördlichen Teil der Kontrolle der Vietminh zu unterstellen. Der Südstaat mit der Hauptstadt Saigon blieb antikommunistisch und unter westlichem Einfluß mit der vertraglichen Auflage, daß nach zwei Jahren Bürger beider Teile in freier Wahl über die Vereinigung entscheiden sollten. Als diese Wahl vom Südstaat blockiert und verhindert wurde, beschloß die KP 1960 in Hanoi, den bewaffneten Kampf für die vollständige Unabhängigkeit und Einheit des Landes wiederaufzunehmen. Inzwischen hatte sich im Westen die Idee verfestigt, daß das kommunistische Nordvietnam Bannerträger des expansiven Kommunismus sei. Schon in der Kennedy-Ära (1961–1963) setzten sich bei den strategischen Planern die Analogien zum Münchner Abkommen und zur Appeasement-Politik gegenüber Hitler fest. Der Friede und die Sicherheit des Westens seien nur zu gewährleisten, wenn Südvietnam als Bollwerk gegen den expansiven Kommunismus verteidigt würde.

Heute nennt Kennedys Verteidigungsminister Robert S. McNamara diese kriegsstiftende These einen großen, „schrecklichen Irrtum". Aber er liefert keine überzeugende Erklärung dafür, warum jene, die es besser wußten und Vietnam realistischer einschätzten, unter den Regierungen Kennedy – Johnson – Nixon kein Gehör gefunden haben. Ho Chi Minh ließ Washington durch den amerikanischen Historiker Bernard B. Fall sogar die Mahnung übermitteln, die Kraft des vietnamesischen Nationalismus nicht zu unterschätzen. Die Kämpfer im Süden, inzwischen Vietcong, vietnamesische Kommunisten, genannt, bewiesen eine moralische Standfestigkeit, einen Opfermut und eine Leidensfähigkeit, die die Militärstrategen im Pentagon nicht bedacht hatten. „Unsere Geschichte kennt seit zweitausend Jahren nur Krieg", so der damalige Premierminister Pham Van Dong, „das hat unserem Volk starke Nerven gegeben. Wir kennen keine Panik."

Im März 1965 gingen in Da Nang die ersten amerikanischen „Ledernacken" an Land. Schon zuvor hatte Präsident Johnson den Bombenkrieg gegen Nordvietnam angeordnet. 1967 kämpften mehr als eine halbe Million amerikanischer Soldaten, dazu 80 000 Mann Hilfstruppen aus Südkorea, Australien, Neuseeland, Thailand und den Philippinen in Südvietnam. *Search and destroy*-Operationen mit Erfolgskontrolle beim makabren *body count* sollten durch waffentechnische Überlegenheit und Hubschraubermobilität den Vietcong dezimieren.

Fünfhundert akkreditierte Journalisten zogen ohne jedwede Zensur mit den Truppen ins Feld und brachten den schmutzigen Tropenkrieg auf die Bildschirme in aller Welt. Erst das Fernsehen hat den Vietnamkrieg zu jenem Weltereignis gemacht, das die Bürger des Westens aufwühlte, in Gegner und Befürworter des militärischen Engagements teilte und jenen tiefen Riß durch die amerikanische Gesellschaft verursachte, der bis heute nicht verwachsen ist.

Die Exekution eines gefesselten Vietcong-Soldaten auf offener Straße durch den Saigoner Polizeichef Nguyen Ngoc Loan vor den Kameras der amerikanischen Presse hat der Moral der „Heimatfront" mehr Schaden zugefügt, als die Propaganda-Maschine des Pentagon kompensieren konnte. Präsident Lyndon B. Johnson verlor den Fernsehkrieg in Vietnam in einer einzigen Nacht, als die Vietcong zum Auftakt der Tet-Offensive am 31. Januar 1968 die amerikanische Botschaft im Herzen Saigons angriffen und als für ein paar Stunden die Falschmeldung Schlagzeilen machte, der kommunistische Gegner hätte die Botschaft erobert und besetzt. Kein Dementi konnte den psychologischen Schaden je wieder wettmachen. Eine unzensierte, freie und wirklichkeitsnahe Presseberichterstattung hat den Krieg in Vietnam im wahren Wortsinne unerträglich gemacht. Johnson verzichtete auf eine erneute Präsidentschaftskandidatur, und sein Nachfolger Richard Nixon sah sich genötigt, die Truppen zurückzuholen und einen „Frieden mit Ehre" anzustreben.

Zuvor freilich wurde der militärische Druck auf Hanoi noch einmal erhöht. Im April 1971 ließ Präsident Nixon amerikanische Bodentruppen die Grenze nach Kambodscha überschreiten, um die Basislager des Gegners zu zerstören. Die Invasion Kambodschas, ein Jahr nach dem Sturz Sihanouks, drückte die nordvietnamesische Armee nur tiefer in das kambodschanische Hinterland und zog das zuvor neutrale Land der Khmer in den Strudel der Zerstörung.

Entscheidend für den Ausgang des Krieges wurde schließlich die Tatsache, daß es der amerikanischen Luftwaffe auch mit den intensivsten Bombardements der Menschheitsgeschichte nicht gelang, den Nachschub für den Vietcong auf dem Ho-Chi-Minh-Pfad zu unterbrechen. Die Soldaten des Nordens haben auf dem fast tausend Kilometer langen Fußweg vom 17. Breitengrad durch das unwirtliche Bergland von Laos und Kambodscha eine Leistungsbereitschaft und eine Leidensfähigkeit gezeigt, die am Ende Hanoi den Sieg brachte. Die „Bruchstelle", die Nixon und Kissinger bei jedem Volk vermuteten, und die eine Armee in die Knie zwingt und veranlaßt, sich dem Willen des Stärkeren zu beugen – diesen Punkt konnte auch die ungeheuerliche Kriegsmaschinerie der Vereinigten Staaten nicht erreichen. Die heute noch zu besichtigenden Reste des Ho-Chi-Minh-Pfads und das Tunnelsystem von Cu Chi außerhalb Saigons im „eisernen Dreieck" vermitteln eine Ahnung von der Kraft des vietnamesischen Selbstgefühls.

■ Unschuldige Opfer: Das Foto der von Napalm getroffenen Phan Thi Kim Phuc erschütterte die ganze Welt (1972)

Im Januar 1973 schlossen Washington und Hanoi das Pariser Abkommen, einen „Waffenstillstand", der den Krieg nur „vietnamisierte" und den Amerikanern gestattete, den Rest der Truppen heimzuholen. Zwei Jahre hat Südvietnam sich danach noch behaupten können. Dann ließ die Frühjahrsoffensive 1975 die Armee des Südens zusammenbrechen. Amerika war nach dem Sturz Nixons und unter der Führung von Präsident Gerald Ford nicht mehr willens, mit der Luftwaffe einzugreifen. Der amerikanische Kongreß ließ keine Militäraktion in Südvietnam mehr zu.

Am 30. April 1975, nach einer dramatischen Hubschrauberevakuierung der amerikanischen Berater und der internationalen Presse, erreichten die Panzer Nordvietnams das Zentrum von Saigon. Der letzte Akt des Krieges, das Durchbrechen der Eisengitter am Präsidentenpalast und das Hissen der Vietcong-Fahne, ist von den Vereinigten Staaten, vom gesamten Westen, als eine schmerzhafte Demütigung empfunden worden.

Die amerikanischen Streitkräfte haben keine Schlacht und doch den Krieg verloren. Vietnam hat die Teilung überwunden und zugleich den Frieden verfehlt. Mehr als drei Millionen Tote und die Zerstörung wichtiger Teile des Landes waren ein Preis, der im nachhinein nur Zweifel und Bitterkeit erzeugt. Nur sehr verhalten und mit Gesten der Versöhnung gegenüber dem Feind von damals hat Vietnam den 20. Jahrestag des Sieges gefeiert. Der Ernstfall, dieses Diktum eines großen Historikers stimmt nach wie vor, ist nicht der Krieg, sondern der Frieden.

WINFRIED SCHARLAU

Der Autor, geb. 1934 in Duisburg, war insgesamt zehn Jahre Südostasien-Korrespondent der ARD *und ist heute Funkhausdirektor des* Norddeutschen Rundfunks *in Hamburg.*

Die Grande Nation ehrt die Überlebenden der Niederlage von Dien Bien Phu, 1954

Französische Fallschirmjäger werden unter Feuerschutz bei Dien Bien Phu abgesetzt

Der 30jährige Kampf

Indochina – ein Schlachtfeld von Krieg, Revolution und Weltpolitik

Tod als hilfloser Protest: die Selbstverbrennung des Mönchs Thich Quang Duc, 1963

Der erste Indochinakrieg – die Rückkehr der Kolonialherren

1945 Im August endet der Zweite Weltkrieg mit der Kapitulation Japans; die Japaner ziehen sich aus Indochina zurück. Am 2. 9. proklamiert Ho Chi Minh in Hanoi die Demokratische Republik Vietnam. Kaiser Bao Dai dankt ab. In Laos wird ein unabhängiges Königreich ausgerufen

1946 Im März erkennt Frankreich die Republik Vietnam an – als autonomen Staat der Union Française. Tatsächlich betreiben die Franzosen eine vehemente Rekolonialisierung Indochinas. Unter ihrem Schutz entsteht die Republik Cochinchina (Südvietnam). Frankreichs militärische Präsenz im Norden wird zunächst noch geduldet. Im November bombardieren die Franzosen nach einem „Zwischenfall" Hai Phong. Ho Chi Minh ruft zum Widerstand gegen die Kolonialmacht auf; der Guerillakrieg der kommunistischen nordvietnamesischen Vietminh beginnt

Bao Dai, der letzte Kaiser

1948 Frankreich beauftragt Ex-Kaiser Bao Dai mit der Bildung einer nationalvietnamesischen Regierung

1949 Im Süden wird eine nationalvietnamesische Armee gegründet

1950 Die VR China und die UdSSR erkennen Nordvietnam an und unterstützen den Befreiungskampf der Vietminh

1952 Die Stadt Hoa Binh wird von Vietminh eingekesselt und evakuiert. Norodom Sihanouk beginnt seinen „Königlichen Kreuzzug" für die Unabhängigkeit Kambodschas

1953 Vorstöße der Vietminh und der laotischen Befreiungsfront gegen Laos. Sihanouk verkündet die Unabhängigkeit Kambodschas

1954 Während in Genf über Indochinas Zukunft verhandelt wird, fällt, nach 55tägiger Belagerung durch die Nordvietnamesen unter General Giap, die „uneinnehmbare" französische Festung Dien Bien Phu. Damit endet die Kolonialherrschaft der Franzosen in Vietnam – von ihren insgesamt 420 000 eingesetzten Soldaten waren in acht Jahren 50 000 Mann gefallen. Die Schlußakte der Genfer Konferenz erklärt den 17. Breitengrad zur Demarkationslinie zwischen Nord- und Südvietnam. In Südvietnam etabliert sich das von den Vereinigten Staaten gestützte Regime unter Ministerpräsident Ngo Dinh Diem

Zwischen den Kriegen – der Konflikt wird amerikanisiert

1955 Diem initiiert einen „Volksentscheid", der die Monarchie abschafft und ihn selbst zum Staatsoberhaupt Südvietnams macht

1956 Landreform in Nordvietnam. Aufstände gegen die rigorose Kollektivierung werden mit Waffengewalt niedergeschlagen. Im Süden, wo amerikanische Militärberater die französischen ersetzen, verhindert Diem die vom Genfer Abkommen vorgesehenen freien Wahlen. Der Katholik bekämpft den Buddhismus und errichtet eine antikommunistische Diktatur

1960 Gründung der Nationalen Befreiungsfront für Südvietnam, die unter dem Namen Vietcong in die Geschichte eingeht

1961 Der scheidende US-Präsident Eisenhower gibt seinem Nachfolger Kennedy die „Domino-Theorie" auf den Weg, derzufolge der Verlust von Laos und Südvietnam an die Kommunisten zum Verlust ganz Südostasiens führe

1963 Aus Protest gegen die Diem-Diktatur verbrennt sich der buddhistische Mönch Thich Quang Duc mitten in Saigon. Mit amerikanischer Billigung werden Diem und sein Bruder schließlich abgesetzt und erschossen. Schwache Militärregierungen

Der zweite Indochinakrieg – Massensterben für einen „Irrtum"

1964 Den „Tongking-Zwischenfall", einen nie bewiesenen Angriff nordvietnamesischer Torpedoboote auf zwei US-Zerstörer, nehmen die Amerikaner zum Anlaß, Ziele in Nordvietnam zu bombardieren

1965 Mit der Aktion „Rolling Thunder" beginnt der „reguläre" Luftkrieg der Amerikaner gegen Nordvietnam. Dabei werden Napalm-Brandbomben eingesetzt, die Brände mit Temperaturen von über 2000 °C auslösen. Im März landen in Da Nang amerikanische Bodentruppen. Ende 1965 sind 200 000 US-Soldaten in Vietnam

1966 Die amerikanische Truppenstärke wird auf 385 300 Mann erhöht. Über den Ho-Chi-Minh-Pfad werden die Vietcong vom Norden aus mit Nachschub versorgt

Die mächtigste Militärmaschinerie des Westens im Einsatz: Truppentransport per Helikopter, 1968

1967 Im Mai legt die Army Verteidigungsminister McNamara ein Memorandum über einen möglichen Nukleareinsatz in „Südchina" vor. Im Dezember sind 485 600 US-Soldaten in Vietnam stationiert, 16 021 Mann sind bereits gefallen

1968 Zum buddhistischen Neujahrsfest (Tet) am 31. 1. starten die Nordvietnamesen eine Großoffensive gegen den Süden, wobei sie bis auf das Gelände der amerikanischen Botschaft in Saigon vordringen. Südvietnamesen und Amerikaner reagieren hysterisch und brutal: Im Februar erschießt der Polizeichef von Saigon einen Vietcong auf offener Straße – das Foto von der Hinrichtung geht um die Welt. Am 16. 3. eliminiert ein Kommando in einer „Search and Destroy"-Aktion fast die gesamte Bevölkerung des Dorfes My Lai. Beginn der Pariser Friedensgespräche zwischen Nordvietnam und den USA. In Westeuropa und Nordamerika gehen Studenten auf die Straße und skandieren den Namen Ho Chi Minhs. Richard Nixon gewinnt die Wahl zum US-Präsidenten u. a. mit dem Versprechen, den Krieg zu beenden

Barbarische Selbstjustiz: Der Polizeichef von Saigon exekutiert einen Vietcong, 1968

Robert S. McNamara, der US-Verteidigungsminister

1969 Im April erreicht die amerikanische Expedition ihren numerischen Höhepunkt: 543 400 Mann sind in Vietnam stationiert. Von nun an reduzieren die Amerikaner zwar ihre Truppenstärke – aber die Kämpfe weiten sich durch die Bombardierung des Ho-Chi-Minh-Pfades auf die Nachbarländer aus. Am 2. 9. stirbt Ho Chi Minh – „offiziell" erst am 3. 9., da man in Hanoi ein Zusammentreffen mit dem Feiertag zur Staatsgründung 1945 vermeiden möchte

1970 In Kambodscha putscht Premierminister Lon Nol gegen Prinz Sihanouk, der von einer Auslandsreise nicht mehr zurückkehren darf. Sturz der Monarchie

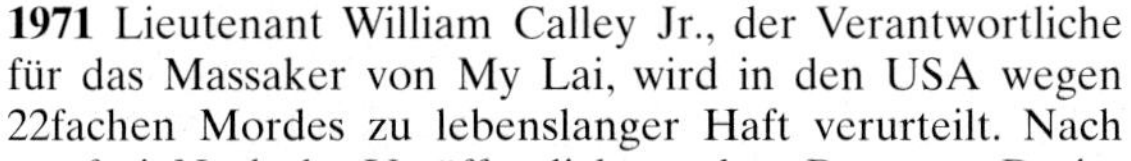

1971 Lieutenant William Calley Jr., der Verantwortliche für das Massaker von My Lai, wird in den USA wegen 22fachen Mordes zu lebenslanger Haft verurteilt. Nach dreieinhalb Jahren kommt er frei. Nach der Veröffentlichung der „Pentagon-Papiere", der geheimen Akten zur Vorgeschichte des amerikanischen Engagements in Indochina, wächst die öffentliche Kritik am Vietnamkrieg

1972 Präsident Nixon läßt nach der Oster-Offensive des Nordens sieben nordvietnamesische Häfen verminen. Im Dezember erfolgen die bisher schwersten Bombenangriffe der Amerikaner

Endloses Leid: flüchtende Familien, eine halbe Million Krüppel, 800 000 Waisenkinder

1973 Vertreter Nord- und Südvietnams, der USA sowie des Vietcong unterzeichnen am 27. 1. das Pariser Abkommen. Der vereinbarte Waffenstillstand hält allerdings nicht, auch wird der vorgesehene Rat der nationalen Aussöhnung nie gebildet. Im selben Jahr werden die Unterhändler Henry Kissinger und Le Duc Tho mit dem Friedensnobelpreis ausgezeichnet, der Nordvietnamese lehnt den Preis ab. Im April ziehen sich die letzten amerikanischen Soldaten aus Südvietnam zurück. Der Kongreß beschließt den Verzicht der Vereinigten Staaten auf jedes weitere militärische Engagement in Vietnam. Das Abkommen von Vientiane regelt den Waffenstillstand in Laos

1974 Großoffensive der Roten Khmer gegen das Lon-Nol-Regime in Kambodscha

1975 Am 29. 3. nehmen die Nordvietnamesen Da Nang ein. Am 21. 4. tritt Präsident Nguyen Van Thieu zurück. Nach der Einnahme Saigons kapituliert Südvietnam am 30. 4. bedingungslos. Am 17. 4. marschieren die Roten Khmer in Phnom Penh ein. Dort beginnt Pol Pot seine Schreckensherrschaft. Mitte des Jahres kontrollieren die kommunistischen Pathet Lao ganz Laos. Im Dezember dankt der König ab, die Volksdemokratische Republik Laos wird ausgerufen.

Saigons Fall: letzte Evakuierung per Helikopter vom Dach der US-Botschaft, 1975

1994 19 Jahre nach Kriegsende hebt Präsident Clinton das Handelsembargo gegen Vietnam auf, 20 Jahre danach bezeichnet der ehemalige US-Verteidigungsminister Robert S. McNamara das amerikanische Engagement in Indochina als „schrecklichen Irrtum". Die Vereinigten Staaten kostete dieser „Irrtum" 58 000 Gefallene und etwa 150 Milliarden Dollar, aber nicht einen Dollar zum Aufbau des zerstörten Landes. Die Zahl der getöteten Vietnamesen geht in die Millionen

Geschichten gegen die nationale Schmach

Eigentlich gibt es Vietnam doppelt: echt und als Film. Als vermutlich einziges Land der Welt hat Vietnam es geschafft, einem ganzen Filmgenre seinen Namen zu geben. Und das, obwohl die meisten der amerikanischen „Vietnam-Filme“ irgendwo anders, in Taiwan, Thailand oder auf den Philippinen, gedreht wurden. Vor den Kinostarts von „Apocalypse Now“, „Full Metal Jacket“ und „Born on the 4th of July“ gab es jahrelang jeden Abend im Fernsehen einen kurzen Vietnam-Clip, der auf die meisten Zuschauer nicht weniger fiktiv wirkte als die späteren Spielfilme, es war schließlich die erste TV-Kriegsberichterstattung direkt von der Front. Das Land am Mekong, mit seinen exotischen Reisfeldern und Dschungeln, mit gruseligen Tunnelsystemen und romantisch verfallenen Kolonialstädten erscheint aus westlicher Perspektive wie eine ungewöhnlich dichte Ansammlung legendärer Drehorte und Kulissen – als wirklich medialer Ort.

Als erste erlebten die amerikanischen GIs das „Kinogefühl in Vietnam“. Das hatte nicht nur damit zu tun, daß kaum jemand das Land kannte, sondern auch mit dem Alter der Soldaten: Es waren mit Bedacht viel jüngere als im Zweiten Weltkrieg rekrutiert worden, weil Militärpsychologen festgestellt hatten, daß Soldaten mit 17, 18 oder 19 Jahren traumatische Kriegs-Szenen oft erst mit großer zeitlicher Verzögerung als Realität begreifen und folglich im Einsatz „spielerischer“, also besser kämpfen. Deswegen begannen für viele Vietnamveteranen die eigentlichen Psychoprobleme erst zu Hause – sie kamen mit der Normalität nicht mehr zurecht. Das Kino reagierte verblüffend synchron auf die Situation: Anders als im Zweiten Weltkrieg oder auch im Koreakrieg wurden während des Vietnamkrieges keine Spielfilme gedreht. Erst nach Kriegsende begann mit den „Rückkehrer“-Filmen wie „Taxi Driver“ von Martin Scorsese (1976) oder „Coming Home“ von Hal Ashby (1978) die cinematographische Aufarbeitung. In dieser Zeit etablierte sich der Vietnam-Vet zum Stereotyp: Filmhelden mit dieser Vergangenheit, so weiß der Zuschauer seitdem, begehen früher oder später aus heiterem Himmel die irrsinnigsten Verbrechen, die keiner weiteren dramaturgischen Erklärung bedürfen. Die Verfilmung von Rückkehrerschicksalen war nur der Auftakt zu einer riesigen Welle von Combat-Vietnam-Filmen, von denen allein in den achtziger Jahren etwa 350 Produktionen vor tropischer Kulisse gedreht wurden. Zu den bekanntesten und aufwendigsten zählen „Apocalypse Now“ von Francis Ford Coppola (1979), „The Deer Hunter“ („Die durch die Hölle gehen“) von Michael Cimino (1978) und „Platoon“ von Oliver Stone (1986). Die Geschichten dieser Filme gleichen sich, es sind exemplarische Biographien von naiven oder abenteuerlich gesinnten Patrioten, die in den Krieg ziehen und nach der Konfrontation mit durchgedrehten Befehlsgebern und brutalen Gemetzeln völlig transformiert zurückkehren.

Als Westernheld im Dschungel Vietnams: Robert de Niro in Michael Ciminos Hollywoodfilm „The Deer Hunter“ (1978)

Unabhängig davon wird Vietnam in fast all diesen Filmen als ein unwirklicher, gefährlicher, verwirrender Ort gezeigt. Wie in klassischen Alptraumlandschaften erscheint der Dschungel auf der Leinwand als mörderischer Irrgarten, meistens ist es dunkel, unheimliche Geräusche sind zu hören, man verliert wie ein Fieberkranker mit den Bewegungen der subjektiv-wackelnden Kamera jedes Vertrauen in die eigenen Sinne. Dieses Gefühl verstärkt sich perverserweise, je paradiesischer eine Kulisse auf der Leinwand auftaucht, weil man schon ahnt, daß die idyllischen Dörfer bald in Flammen stehen und Leichen zwischen den zarten Reispflänzchen liegen werden. Bar jeder Alltäglichkeit stellt dieses wilde Vietnam in den amerikanischen Kriegsfilmen eine Phantasiewelt dar, das ganze Land wird zur Kulisse für Reisen ins Innere. Eine finstere, feuchte Gegenwelt zu den aufgeräumten amerikanischen Landschaften, wie sie beispielsweise in Ciminos „Deer Hunter“ mit Panoramablick in kalter, klarer Luft am Anfang und Ende des Films zu sehen sind. Die Wirklichkeitsferne der vietnamesischen Landschaften wird durch den Umstand perfekt, daß ihre eigentlichen Bewohner an den filmischen Kriegsschauplätzen fast ausschließlich als gesichtslose Gegner auftauchen.

Das städtische Vietnam spielt in diesen Filmen eine andere Rolle. Es ist Ankunftsort der GIs im fremden Land und damit so etwas wie der Vorhof zur Hölle. In den engen Straßen herrscht stets großes Gewimmel und Gewusel, an jeder Ecke lockt das Laster. Wenn nicht in Gestalt unergründlich lächelnder Kindfrauen als Prostituierte, so sind es diabolisch grinsende Dealer oder Spieler, die den Amerikanern in Hinterzimmern das Geld aus der Tasche ziehen oder sie zu Rauschgiftabhängigen machen. Filmische Kampfhandlungen finden selten in urbaner Umgebung statt, nur Stanley Kubrick hat bewußt mit dieser Tradition gebrochen. In „Full Metal Jacket“ (1986/87) spielen sich sämtliche Gefechtsszenen zwischen brennenden und qualmenden Häusern ab, das satte Dschungelgrün ist hier der Trostlosigkeit eines grauen Drehorts gewichen, den der Regisseur in einem Londoner Industrievorort fand.

Diese Filme haben viel mehr mit Amerika als mit Vietnam zu tun und kokettieren auf vielfältige Weise mit der historischen Faustregel, daß stets die Sieger die Geschichte schrei-

■ **Opfer französischer Kolonialmentalität: Jane March in Marguerite Duras' verfilmtem Roman „Der Liebhaber" (1991)**

ben. Das mißfällt nicht zuletzt den vietnamesischen Filmemachern, die derzeit kaum noch auf öffentliche Unterstützung bauen können. So bleibt den meisten nichts anderes übrig, als auf Geld von ausländischen Produzenten zu hoffen, derweil die Kinos vor traurigen, leeren Sälen viertklassige Liebes- oder Polizeidramen auf zu große Leinwände projizieren. Seit mit dem großen, wirtschaftlichen Reformprogramm immer mehr ausländische Investoren ins Land gekommen sind, ist die Lage der Cinematographie noch prekärer geworden. Frankreich hat als erstes Land seine vormalige Kolonie als Drehort entdeckt und produzierte Anfang der neunziger Jahre gleich mehrere große Filme an Originalschauplätzen. Der Sozialismus hat sich dort als idealer Konservator entpuppt: Man braucht nur hier und da einen Plastikstuhl gegen einen Korbsessel auszutauschen, die Mopeds von der Straße zu nehmen und fertig ist das stilechte Kolonialambiente. „Indochine", „Der Liebhaber", „Die Schlacht von Dien Bien Phu" und „Der Duft der grünen Papaya": all diese Filme profitieren von der Patina der Straßen Saigons. Beflügelt durch das Vorhandene, geraten die Ausstattungen so pompös und aufwendig wie die Inszenierungen legendärer Hollywood-Schinken, als die Komparsen in Amerika noch billig und gewerkschaftsfern gemietet werden konnten. So wurde beispielsweise der schwarze Ozeanriese für die Schlußsequenz im „Liebhaber" für 600 000 US-Dollar von Zypern nach Ho-Chi-Minh-Stadt gefahren und für 190 000 Dollar entsprechend der Buchvorlage umgebaut. Der Ex-Soldat Pierre Schoendoerffer legte als Zeitzeuge in seinem Film über „Die Schlacht von Dien Bien Phu" besonderen Wert auf Akkuratesse bei der Rekonstruktion der Niederlage der französischen Armee: Er ließ im nordwestlichen Hochland mit logistischer Beratung der Vietnamesen 119 Kilometer Stacheldraht ausbringen und engagierte 26 000 einheimische Statisten, die freilich nur als anonyme Masse auftreten. Keine einzige Nahaufnahme eines Vietminh erlaubte sich der Regisseur und übertraf damit noch die Gespensterhaftigkeit des Feindes in den amerikanischen Vietnam-Filmen. In „Indochine" und „Der Liebhaber" hingegen wagen sich die weißen Protagonisten dem multikulturellen Geist der neunziger Jahre entsprechend weiter hinaus in die fremde Kultur, stürzen sich kopfüber in Freundschafts- und Liebesbeziehungen mit Vietnamesen. „Ich bin eine Asiatin", sagt Cathérine Deneuve ganz unironisch in „Indochine" zu ihrer vietnamesischen Adoptivtochter. Für solches Verhalten wird die Deneuve, ähnlich wie Jane March als junge Draufgängerin in „Der Liebhaber", von ihren eigenen Leuten verachtet und gestraft, also genauso zum Opfer wie die tapferen Helden der amerikanischen Kriegsfilme. Die für Krieg und verbrecherische Kolonialpolitik Verantwortlichen bleiben auf seltsame Weise unsichtbar.

Ganz unabhängig von Qualität und Authentizität der Filme haben sie zumindest in der westlichen Welt zur Attraktivität Vietnams als Reiseziel beigetragen, weil sie einen Mythos miterschaffen, fortgeschrieben und am Leben erhalten haben. Mit einem schrillen „Good Morning, Vietnam!" begrüßt im gleichnamigen Film der Radio-DJ und Komiker Adrian Cronauer (Robin Williams) die GIs über das Mikrophon seines Saigoner Studios. Unter Touristen wird Cronauers Gruß gern in der Hotellobby imitiert. Viele tragen den Filmtitel auch als T-Shirt-Aufdruck durch die Straßen. Und auf merkwürdige Weise bietet das Land seinen Besuchern tatsächlich Gelegenheit zur Fortsetzung dieses medialen Spiels mit den Wirklichkeiten. So wurden neulich einigen amerikanischen Langzeittouristen von einer südkoreanischen Fernsehanstalt Komparsenrollen angeboten, als die Evakuierung der letzten Amerikaner vom Dach der Botschaft für eine Fernsehserie nachgestellt werden sollte. Während der Drehpausen kamen die Komparsen auf die Idee, sich die Zeit mit einem kleinen Experiment zu verkürzen. In voller Kostümierung begaben sie sich auf den belebten Vorplatz der Botschaft und regelten als amerikanische GIs den chaotischen Verkehr. Die Cyclo-Fahrer, Passanten und Autofahrer hatten ihre helle Freude an dem Spektakel, hupten und winkten vor Begeisterung über den gelungenen Scherz. Bis ein echter Polizist kam und die bekifften Kleindarsteller zum Drehort zurückbeorderte. DOROTHEE WENNER

Die Autorin, geb. 1961, ist als Journalistin spezialisiert auf südostasiatische Themen.

Der 1988 verstorbene Fotograf Reinhart Wolf bestimmte in seinem Nachlaß eine Stiftung zur Förderung talentierter Nachwuchsfotografen. Der daraus hervorgegangene Reinhart-Wolf-Preis soll Ansporn und Belohnung für junge Fotografen sein, die sich im Sinne von Reinhart Wolf um ein neues Sehen bemühen. Der Preis im Wert von DM 10.000,– sowie zehn weitere Auszeichnungen werden im Rahmen eines Wettbewerbs jährlich verliehen. Zusätzlich wird DER FEINSCHMECKER erstmalig in diesem Jahr einen mit DM 2.000,- dotierten Sonderpreis für Food-Fotografi ausloben. Die Teilnahme am Wettbewerb 1996 steht wieder allen Studenten der Fotografie, Fotoassistenten in der Ausbildung un Fotografen mit einem abgeschlossenen Studium oder einer abgeschlossenen Ausbildung offen. Höchstalter: 30 Jahre. Zugelassen si Einzelfotos oder Serien der Kategorien Stillife, Food, Architektur, Personenportraits und Landschaft, schwarz-weiß oder farbig. Einsendeschluß ist der 6. Januar 1996, spätere Einsendungen können nicht berücksichtigt werden.

Unterlagen für die Ausschreibung können angefordert werden bei:

REINHART WOLF–PHOTOGRAPHISCHE STIFTUNG, Königinstr. 73, 80539 München, Fax 089/33 69 87.

MERIAN. Land und Leute erleben.

Der Reinhart-Wolf-Preis wird unterstützt von MERIAN, Hoffmann und Campe Verlag

Wie Wo Was

Tips und Hinweise

■ **Busreisen in Vietnam garantieren engen Kontakt, führen aber nicht unbedingt ans erstrebte Ziel**

Anreise: Vietnam erreicht man in der Regel mit Zwischenstopp in Hongkong oder Bangkok. Die Flüge dauern im Durchschnitt 13 bis 15 Stunden, Ho-Chi-Minh-Stadt (Saigon) wird öfter angeflogen als Hanoi. Innervietnamesische Flüge mit Vietnam Airlines verkehren täglich zwischen Hanoi, Saigon und Da Nang. Mehrmals wöchentlich werden auch Da Lat, Hue, Nha Trang und einige kleinere Orte von Hanoi und Saigon aus angeflogen. Vergessen Sie vor dem Rückflug nicht, sich Ihr Ticket bestätigen zu lassen (reconfirmation).
Es gibt Zugverbindungen von Hanoi nach China (Kunming und Nanning), die Einreise wird aber nicht immer gestattet. Zwischen Hanoi und Saigon verkehrt zweimal wöchentlich der „Wiedervereinigungs-Expreß" (ca. 48 Stunden), aber auch Teilstrecken, etwa nach Hue oder Da Nang oder über den Wolkenpaß, lohnen sich. Ausländer zahlen höhere Fahrpreise (immer in US-Dollar), die Karten sind einige Tage vor Abfahrt zu kaufen. Ob die Straßenverbindung zwischen Phnom Penh und Saigon gefahrlos befahren werden kann, hängt von der politischen Lage ab: nichts riskieren!
Visa: Die Einreise ist nur mit Visum möglich, dafür sollte mindestens einen Monat zuvor bei der vietnamesischen Botschaft ein Antrag gestellt werden. Bei Ankunft ist eine Zolldeklaration auszufüllen und der Durchschlag unbedingt für die Rückreise aufzubewahren!
Geld: Die vietnamesische Währung (Dong) darf weder ein- noch ausgeführt werden. Für eine Mark bekommt man etwa 8000 Dong, wichtiger ist das Verhältnis 1 US-Dollar = 11 500 Dong (Stand: August 1995), da die amerikanische Währung für die Touristen gleichberechtigt ist; Fahrkarten, Hotels und Automieten müssen in Dollar bezahlt werden. Bringen Sie auf jeden Fall US-Dollar in bar mit, vor allem kleine Scheine, da oft nicht gewechselt werden kann. In den Großstädten können in Hotels und Banken Reiseschecks (keine Euroschecks!) getauscht werden. Zahlung per Kreditkarte ist in größeren Hotels möglich. Dongbündel sind wichtig für Restaurants, zum Einkaufen und für Ausflüge aufs Land.
Verkehr: Übliches Transportmittel in den Städten ist das *Cyclo*, die Fahrradrikscha; mit dem Fahrer wird vor Fahrtantritt ein Preis pro Kilometer ausgehandelt. Neuerdings gibt es aber immer mehr Motorrad-Chauffeure, auch Taxis mit Taxameter – sie parken vor internationalen Hotels. Bei abseits gelegenen Adressen sollte man den Wagen warten lassen. Autos können nur mit Fahrern gemietet werden.
Gesundheit: Impfpflicht gibt es nicht, gegen Tetanus und Polio sollte man jedoch geimpft sein. Eine Malaria-Prophylaxe ist ebenfalls dringend zu empfehlen. Leitungswasser, Eis, ungeschältes Obst und ungekochtes Gemüse meiden.
Klima und Kleidung: Nördlich des Wolkenpasses ist das Klima subtropisch, im Süden tropisch. Zudem beeinflussen Monsune und Berge Regenzeiten wie Temperaturen. Im Süden ist es von Dezember bis April trocken, danach bringen tägliche Regenschauer Abkühlung. In der Gegend von Hue ist es im Juni und Juli am angenehmsten, anschließend wird es kühl mit tagelangem Dauerregen. Im August und September besteht im Norden die Gefahr von Taifunen. Hanoi hat warme, feuchte Sommer und kühle, feuchte Winter. Gute Reisemonate sind hier November und Mai. Da es keine einheitliche günstige Reisezeit für das ganze Land gibt, sollten zur leichten Kleidung immer auch ein Pullover und ein zuverlässiger Regenschutz eingepackt werden.
Sicherheit: Vorsicht vor Taschendieben im Gedränge, gelegentlich lenken Kinder die Aufmerksamkeit der potentiellen Opfer ab. In unwegsamem Gelände gibt es immer noch Bomben und Minen.

	Jan.	Feb.	März	April	Mai	Juni	Juli	Aug.	Sep.	Okt.	Nov.	Dez.
Hanoi/ Vietnam	20.0	20.6	23.3	27.8	32.2	33.3	32.8	32.2	31.1	28.9	25.6	22.2
	13.3	14.4	17.2	20.6	23.3	25.6	25.6	25.6	24.4	21.7	17.8	15.0
	1.4	1.4	1.3	2.2	4.2	5.0	4.8	4.2	4.3	4.2	3.2	2.1
	9.0	14.0	15.0	14.0	14.0	15.0	16.0	16.0	14.0	10.0	7.0	7.0
Saigon/ Ho-Chi-Minh-Stadt/Vietnam	31.7	32.8	33.9	35.0	33.3	31.7	31.1	31.1	31.1	31.1	30.6	30.6
	21.1	21.7	23.3	24.4	24.4	23.9	23.9	23.9	23.3	23.3	22.8	21.7
	6.3	7.1	6.8	6.7	5.1	5.0	3.9	5.0	4.0	4.5	5.2	5.7
	2.0	1.0	2.0	5.0	17.0	22.0	23.0	21.0	22.0	20.0	11.0	7.0
Vientiane/ Laos	28.3	30.6	32.8	33.9	32.2	31.7	30.6	30.6	30.6	30.6	30.0	28.3
	13.9	17.2	19.4	22.8	24.4	23.9	23.9	23.9	23.9	21.7	18.9	15.0
	7.5	6.9	7.8	6.4	3.5	2.5	1.6	2.0	2.6	5.6	6.0	6.5
	1.0	2.0	4.0	7.0	15.0	17.0	18.0	18.0	16.0	7.0	2.0	1.0
Phnom Penh/ Kambodscha	31.7	32.2	33.9	34.4	33.9	32.8	31.7	31.7	31.1	30.6	30.0	30.0
	21.1	22.2	23.3	23.9	24.4	24.4	24.4	24.4	24.4	24.4	23.3	21.7
	8.9	9.0	8.7	8.3	7.3	6.4	5.6	5.5	4.9	6.6	7.8	8.6
	1.0	1.0	3.0	6.0	14.0	15.0	16.0	16.0	19.0	17.0	9.0	4.0

Quelle: Seewetteramt Hamburg

Durchschnittliche Tagestemperaturen in °C
Sonnenstunden pro Tag
Durchschnittliche Nachttemperaturen in °C
Regentage

Telefon: Vietnam ist ans Satellitennetz angeschlossen. Gespräche aus Telegrafenämtern werden in Minuten vermittelt; in großen Hotels kann man vom Zimmer aus direkt anrufen. Für Gespräche im Land gibt es in den Großstädten Telefonzellen, die entsprechenden Telefonkarten bei der Post.
Zeit: MEZ minus 6, im Sommer minus 5 Stunden.
Feiertage: Offizielle Feiertage sind: 1. Januar (Neujahr), 3. Februar (Gründungstag der KP), 30. April (Befreiung Saigons), 1. Mai, 19. Mai (Geburtstag Ho Chi Minhs), 2. September (Unabhängigkeitstag) und 3. September (Todestag Ho Chi Minhs). Staatliche Einrichtungen sind dann geschlossen, die meisten Läden haben geöffnet.
Die traditionellen Feiertage richten sich nach dem Mondkalender. Am wichtigsten ist das Neujahrsfest (Tet) meistens zwischen Ende Januar und Mitte Februar. Zu diesem Anlaß werden die Wohnhäuser mit glücksbringenden Neujahrsbildern geschmückt. Ahnenaltar und Altar des Herdgottes werden gereinigt, denn der Herdgott fährt am letzten Tag des Jahres gen Himmel und berichtet dem Jadekaiser über die Familie. Die Feiertage beginnen um Mitternacht mit dem ohrenbetäubenden Lärm der meterlangen Knallfroschketten und Feuerwerkskörper. Den Neujahrstag begehen die Familien mit einem Festmahl, viele auch mit einem Tempelbesuch. In den nächsten Tagen folgen weitere Festessen. Die Verkehrsmittel sind in dieser Zeit überfüllt, viele Läden und Restaurants bleiben tagelang geschlossen.

■ Laotischer Neujahrsspaß mit Guß: Selbst die Mönche müssen die symbolische Reinigung auf sich nehmen

Unterkunft: Anzahl und Qualität der Hotels in den großen Städten verbessern sich laufend, dennoch kann es zu Engpässen kommen. Im Hochland und anderen abgelegenen Gebieten ist der Standard sehr bescheiden. Seit die Privatwirtschaft gefördert wird, gibt es viele sogenannte Minihotels: Sie bieten enge, aber in der Regel saubere Zimmer und manchmal sogar Familienanschluß.
Verständigung: (Amerikanisches) Englisch ist die Sprache der Zukunft, und viele Vietnamesen versuchen sich darin. Ältere Menschen, vor allem im Norden, sprechen auch Französisch – allerdings ist es die ungeliebtere Sprache. Und rund 100 000 Vietnamesen haben in der DDR Deutsch gelernt. In abgelegenen Gegenden bleibt nur die Zeichensprache.

LAOS

Anreise: Flugverbindungen existieren, meist wöchentlich, nach China, Vietnam und Kambodscha; nach Bangkok täglich. Im Inland verkehren täglich Maschinen zwischen größeren Orten. Seit Frühjahr 1994 ist auch die Brücke der Freundschaft über den Mekong geöffnet, die die nordthailändische Stadt Nong Khai mit der Hauptstadt Vientiane verbindet. Die Straße zwischen Vientiane und Louangphrabang ist oft nicht passierbar, die gen Süden sind ebenfalls schlecht. Je nach Wasserstand des Mekong gibt es Fährverbindungen zwischen der Hauptstadt Vientiane und Louangphrabang.
Visa: In Deutschland stellt die Botschaft nur Visa aus, wenn ein Reiseprogramm in Laos gebucht ist. Dort sind Formulare und eine Adressenliste der Veranstalter erhältlich. Wegen der langen Bearbeitungszeiten sollte man sich mindestens zwei Monate vor Abreise darum kümmern.
Geld: Die Währung heißt Kip und ist eine der stabilsten der

INFORMATION

Reisebüros
Im deutschsprachigen Raum hat keines der drei Themenländer ein Fremdenverkehrsamt. Große staatliche Reisebüros gibt es in Vietnam:

Saigon/Ho-Chi-Minh-Stadt
Saigontourist
49 Le Thanh Ton
Tel. (01-8) 23 01 00, 29 89 14
Fax 22 49 87, 22 55 16

Hanoi
Vinatour (Vietnam National Travel Agency)
54 Nguyen Du
Tel. (01-4) 25 29 86, 25 72 45
Fax 25 27 07

Daneben gibt es von Provinzen, Städten oder Privatfirmen betriebene Reisebüros.

Diplomatische Vertretungen in Deutschland

Vietnam
Konstantinstr. 37
D-53179 Bonn
Tel. (02 28) 35 70 21
Fax 35 18 66

Laos
Am Lessing 6
D-53639 Königswinter
Tel. (0 22 23) 2 15 01
Fax 30 65

Kambodscha
Grüner Weg 8
D-53343 Wachtberg-Pech
Tel. (02 28) 32 85 09
Fax 32 85 72

Deutsche diplomatische Vertretungen in

Vietnam
– 29 Tran Phu
Hanoi
Tel. (01-4) 25 38 36/7
Fax 25 38 38
– 126 Nguyen Dinh Chieu
Saigon/Ho-Chi-Minh-Stadt
Tel. (01-8) 29 19 67
Fax 23 19 19

Laos
26 Sokphaluang
Vientiane
Tel. (0 21) 31 21 10/1
Fax 31 43 22

Kambodscha
76–78 Street 214
Phnom Penh
Tel. (0 23) 2 63 81/2 61 93
Fax 2 77 46

Da die Telefonsysteme um- und ausgebaut werden, muß mit Änderungen gerechnet werden.

(Alle Angaben Juli 1995)

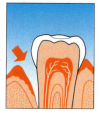

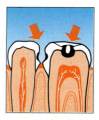

Welt. Ein US-Dollar entspricht etwa 730 Kip, Umtausch bei Banken und Hotels. Kreditkarten werden nur dort akzeptiert.
Klima: Monsune bestimmen das Klima und bringen von Mai bis September Regen. Danach ist es trocken, von Februar an steigen die Temperaturen und können im April durchaus 40 °C erreichen.
Feiertage: Offizielle Feiertage: 1. Januar, 8. März, 1. Mai, 2. Dezember (Nationalfeiertag). Das traditionelle Neujahrsfest findet meistens vom 13. bis 16. April statt. Das lebhafteste ist das Raketenfest Ende Mai, das mit Umzügen, Musik und Tanz die Regenzeit einläutet. Zum Abschluß werden Bambusraketen in den Himmel geschossen, damit dieser den Fruchtbarkeit verheißenden Regen bringt. Mitte Oktober finden zum Ende der buddhistischen Fastenzeit Bootsrennen statt. Zum Vollmond im November wird das That-Luang-Fest in Vientiane begangen: Die Mönche sammeln Almosen, es gibt farbenprächtige Umzüge, Feuerwerke und zum Abschluß eine abendliche Kerzenprozession.
Verkehr: Es gibt nur wenige Autos im Land und noch weniger Taxis. Die meisten haben keinen Taxameter, so daß der Preis pro Kilometer ausgehandelt werden muß. *Samlos* (Rikschas) werden mit menschlicher Kraft oder Motor betrieben und kosten halb soviel wie Taxis. Von Louangphrabang aus können viele Ziele per Flußtaxi erreicht werden.
Telekommunikation: Internationale Telefon- und Faxverbindungen von den großen Postämtern und internationalen Hotels in den Städten.

KAMBODSCHA
Anreise: Flüge in die Hauptstadt Phnom Penh gibt es nur aus asiatischen Nachbarländern, vor allem Bangkok, einem asiatischen Drehkreuz. Siemreap wird dreimal täglich angeflogen. Die Landrouten von Saigon nach Phnom Penh und weiter nach Angkor sollten nur in der Trockenzeit, tagsüber und bei ruhiger politischer Lage in Erwägung gezogen werden; beachten Sie die Hinweise der Einheimischen! Von allen anderen Routen ist wegen des Bürgerkrieges dringend abzuraten.
Visa: Problemlos bei Ankunft am Flughafen für einen Aufenthalt bis zu 15 Tagen, bei der Botschaft Kambodschas beantragte Visa (Bearbeitungszeit ca. eine Woche) gelten 30 Tage.
Unterkunft: Nach Abzug der UN-Soldaten stehen viele Hotels fast leer, die Preise sind zurückgegangen.
Geld: Die Währung heißt Riel, ein US-Dollar entspricht 2500 Riel (Sommer 1995). Viele touristische Dienstleistungen werden in Dollar bezahlt, Kreditkarten akzeptiert man nur in den Hotels von Phnom Penh.
Telekommunikation: Feste Ortskennziffern gibt es nicht, die Vorwahl richtet sich nach der Telefongesellschaft. Von der Hauptpost und in großen Hotels kann direkt angerufen werden. Gespräche innerhalb des Landes sind schwierig.
Klima: Der kühle, trockene Nordostmonsun weht von November bis April. Der Südwestmonsun treibt die Luftfeuchtigkeit in die Höhe, von Mai bis Oktober regnet es häufig. Die Tagestemperaturen schwanken zwischen 30 und 34 °C (nachts oft 10 Grad weniger). Beste Reisezeit: November/Dezember.
Sicherheit: Vorsicht, im ganzen Land liegen noch mehr als eine Million Landminen! Auch die Roten Khmer sind gefährlich, immer wieder werden ausländische Touristen entführt und getötet. Als sicher gelten Phnom Penh und der Kern des Tempelbezirks von Angkor.
Feiertage: Nationalfeiertag am 7. Januar, der Geburtstag von König Sihanouk am 31. Oktober, die Unabhängigkeit von Frankreich am 9. November. Die traditionellen Feiertage richten sich nach dem Mondkalender: Die vietnamesischen und chinesischen Bewohner feiern ihr Neujahrsfest im Januar oder Februar, die Khmer im April. Im Mai zieht der König beim Chroat Preah Nongkoal die ersten Ackerfurchen und betet für eine gute Ernte. Mit dem Totenfest Pchoum Ben bei Vollmond im September, bei dem im Tempel für die Seelen der Verstorbenen gebetet wird, findet auch die Opferzeit Dak Ben ihr Ende, in der die Mönche 15 Tage lang Almosen sammeln. Im November feiert man mit dem Wasserfest Om Tuk die Strömungsumkehr im Tonle-Sap-See.
Verkehrsmittel: Bei Taxis und Cyclos müssen Preise vorher vereinbart werden. Fahrräder und Autos mit Fahrer können gemietet werden.

FRANZ-JOSEF KRÜCKER

Der Autor, Jahrgang 1954, hat sich als freier Journalist und Lektor auf ostasiatische Themen spezialisiert. Er ist Autor einiger Vietnam-Führer.

DER TEMPEL AUS DEM COMPUTER

Einst war der Tempel Baphuon einer der prächtigsten von Angkor: Dieses dritte Bauwerk der Anlage symbolisierte den Berg Meru. Doch als die Franzosen sich seiner annahmen, glich er einer Geröllhalde. Die Anhöhe, auf der man ihn um das Jahr 1060 hatte errichten lassen, war zusammengesackt und hatte die Bauten mitgerissen. Um ihn zu restaurieren, mußten alle 5000 Bruchstücke identifiziert, vermessen, registriert werden – eine mühselige Puzzlearbeit, die der Krieg unterbrach. Da die Aufzeichnungen in den Kämpfen verlorengegangen waren, hätte es bis zur Restaurierung erneut jahrzehntelanger Vorarbeiten bedurft. Doch während Baphuon weiter zerfällt, gibt es eine virtuelle Wiedergeburt: Der französische Computerexperte Fabrice Cérézales entwickelte eine Software, welche die für Angkor typischen Bauprinzipien von Symmetrie wie Wiederholung nutzt, und konnte so im Februar 1995 eine Graphik des ersten Stockwerks scannen. Bis zum Jahr 2002 soll das gesamte Bauwerk mit Hilfe dieser Technik in alter Pracht wiedererstehen.

Hotel Continental in Saigon, Gartencafé: einst die Bühne kolonialen Nachtlebens, heute mit Nostalgie überladen

Reporterbetten

„Wenn man von der Front zurückkam, ... wenn man sechs Wochen lang die Schuhe nicht ausgekriegt hatte, dann schwirrten sechs Boys um einen herum, ließen Wasser einlaufen, schleppten die stinkenden Klamotten weg und servierten eiskaltes Bier, während man badete." So schwärmte ein deutscher Korrespondent a. D. in nostalgischer Verklärung der Vergangenheit über das Hotel Continental.

Die Kolonialhotels in Saigon waren Bühnen dieser jüngsten Geschichte. Auf der (heute nicht mehr vorhandenen) Terrasse des Continental saß man schon zur Zeit der Franzosen, um zu sehen und gesehen zu werden. Graham Greene schrieb hier seinen Roman „Der stille Amerikaner", jene kluge Vorahnung späterer Ereignisse. Dann besetzte die amerikanische Journaille die Logenplätze, um *Radio Catinat* zu lauschen – dem Gerüchtefunk zwischen den Hotels Continental und Caravelle und dem Café Givral auf der anderen Seite der damaligen Rue Catinat, die heute Dong Khoi heißt.

Produziert wurden die meisten Gerüchte einen Steinwurf weiter, im Rex. Dort hatte sich 1960 der US Information Service eingenistet. „Fünf-Uhr-Betrügerei" nannten die Presseleute das tägliche militärische Briefing. Als Pulitzer-Preisträger Neil Sheehan, damals Reporter für die *New York Times*, 1989 das Rex wiederbetrat, erinnert er sich: „Ich sah immer noch die von Kollegen gefüllten Sitzreihen vor mir und das Podium, auf dem der Presseoffizier verkündete, wie viele ‚Strukturen' zerstört und wie viele ‚Feindkontakte' gemacht worden waren." Am 27. April 1975 schließlich schlug eine Rakete ins Dach des Majestic ein. In diesem Moment wußten Personal und Gäste, daß das Ende sehr nahe war, denn das altersschwache Projektil konnte nur aus den Vororten abgefeuert worden sein. In der Tat: Drei Tage später war Saigon „befreit".

„Wenn es draußen knallte, krochen wir unter die Tische", beschreibt Ngo Dinh Dieu seine damalige Angst. Heute arbeitet er immer noch im Majestic. „Das Continental war damals berühmter", erinnert sich der 68jährige Dieu, „aber unser Restaurant war täglich ausgebucht, weil das Essen besser war." Das Continental eröffnete 1880 als zweites Hotel der Stadt und wurde schnell zum Zentrum des kolonialen Nachtlebens. 1930 übernahm der Korse Mathieu Franchini das Hotel. Er möbelte das leicht verstaubte Etablissement auf für „les années folles du Charleston" und gab dem Gartencafé jene Atmosphäre der französischen Provinz, die man unter den alten Bäumen sitzend noch heute verspürt.

Später führte sein Sohn Philippe die Geschäfte, für die er sich aber weniger interessierte als für seine erotische Malerei. So verfiel das Haus ein wenig, obwohl es aus Nostalgie und mangels Alternativen immer noch häufig ausgebucht war. 1973 floh Philippe Franchini. Die Armee und das frisch installierte Volkskomitee konfiszierten 1975 sämtliche Hotels und ließen sie von einer Schiffahrtsgesellschaft verwalten – es war schließlich das Beste, was man an touristischer Infrastruktur zur Verfügung hatte. Wenig später hieß die Firma Saigontourist.

Hotel Majestic in Saigon, Foyer: nach jahrelanger Renovierung heute das schönste alte Kolonialhotel

■ Hotel Rex in Saigon, die Präsidentensuite: viel heimische Möbelpracht schmückt diese Bettenburg

UNTERKUNFT

Saigon/Ho-Chi-Minh-Stadt
Continental
132–134 Dong Khoi
Tel. 29 92 01, Fax 29 09 36
Majestic
1 Dong Khoi
Tel. 29 55 15, Fax 29 14 70
Rex
141 Nguyen Hue Boulevard
Tel. 29 21 85, 29 31 15
Fax 29 65 36

Weitere Kolonialhotels
Hanoi
Sofitel Metropole
15 Pho Ngo Quyen
Tel. 26 69 19, Fax 26 69 20
Das ehemalige französische Kolonialhotel aus dem Jahr 1910 ist vollständig renoviert. Es ist heute das stilvollste und beste Haus am Platze

Da Lat
Sofitel Palace Da Lat
12 Tran Phu
Tel. 2 54 44, Fax 2 56 66
Seit 1922 erholen sich die Saigoner hier bei schönstem Ausblick von der sommerlichen Hitze der Großstadt. Alles frisch renoviert

Das Rex dagegen hat ein recht prosaisches Vorleben als Autowerkstatt und als Handelszentrum. Bald nachdem der vietnamesische Kaufmann Ung Thi das Gebäude von einem Franzosen erworben hatte, erweiterte er es auf sechs Stockwerke und vermietete große Teile an die Amerikaner, die außer ihrer Desinformationsabteilung auch unverheiratete Offiziere dort unterbrachten. Nach deren Abzug hatte Thi große Hotelpläne, die nun aber Saigontourist verwirklicht: Der Westflügel wurde integriert, und in ein paar Jahren soll der gesamte Straßenblock zu einem Vier-Sterne-Hotel ausgebaut sein.

Eines setzt dem Rex zweifellos die Krone auf: sein Dachgarten. Wenn nach der Hitze des Tages die ersten Brisen des Abends aufkommen, ist es nirgendwo schöner in Saigon als in dieser luftigen Phantasielandschaft aus Waschbeton und gebändigtem Grün, zwischen Gipselefanten, Eisenlauben, einer Kopie der Einsäulenpagode aus Hanoi, Sträuchern und kreischenden Vögeln in Bambuskäfigen. Und wenn die Lichterketten aufleuchten und die Speisekarte exquisite französische wie asiatische Küche verspricht, das Personal mit leiser Höflichkeit den Aperitif serviert, hält man inne: Welches Jahr schreiben wir eigentlich?

Auch im Continental erinnert nicht nur das Gartencafé an gestern. Die Zimmer sind riesig und in jeder Hinsicht altmodisch, selbst wenn Klimaanlagen und neue Bäder Einzug gehalten haben. Nur fehlen kolonialer Flair und das einstige laissez faire. Um so mehr glänzt das alte Majestic mit neuem Luxus: Feine Hölzer und nostalgische Badezimmerarmaturen bestimmen das Ambiente der geräumigen Suiten, und es gibt eine Bar auf dem Dach: Das Majestic besitzt eben einen unschlagbaren Vorzug – seine Lage direkt am Saigon-Fluß. „Von meinem Hotelfenster im Majestic“, schrieb Fremdenlegionär und Kriegsreporter Peter Scholl-Latour, „schweifte der Blick über die endlosen Mangroven-Sümpfe, durch die der Saigon-Fluß sich wie eine fette, gelbe Schlange wand.“ Poetischer kann man es kaum beschreiben.

Franz-Josef Krücker

Am besten gleich in die Garküche

Der Bummel durch die Straßen von Saigons Chinesenviertel Cholon ist eine Entdeckungsreise durch alle Küchen des Reiches der Mitte. Es duftet nach exotischen Gewürzen und frischen Kräutern. Die Schaufenster der Restaurants sind mit Enten und Hühnern dekoriert, mit Enten- und Hühnerfüßen, gehäuteten Schlangen und undefinierbaren Fleischstückchen. Bei den Obst- und Gemüseständen in den Markthallen verweilen die Reisenden gern. Was für eine Auswahl: kleine wohlschmeckende Bananen und reife süße Mangos; Mandarinen, Orangen, wilde Limonen und Papayas; gelbe Carambolas, im Querschnitt wie ein fünfzackiger Stern; Ananas, Lychees und immer wieder Früchte, die sie zu Hause in einem Fachgeschäft schon gesehen, doch noch nie gekostet hatten. Sie fragen nach (schwierig wegen der Sprache), blättern im Reisehandbuch und finden dort Erklärungen: Rotbraune Mangosteen, zum Beispiel, seien die köstlichsten tropischen Früchte, nur der innere weiße fleischige Samenmantel werde gegessen. Und die stachligen Rambutan müsse man aufbrechen. Das Innere erfrische. Also wird gekauft und gegessen. Wunderbar. Neugierig beobachten die Reisenden einen Mann, der Zuckerrohr durch eine Art Mangel quetscht. Den ausgepreßten süßen Saft bietet er ihnen für wenige Dong an, Pfennige! Sie lehnen ab, hatte ihnen doch der Hausarzt mit auf den Weg gegeben: „Trinken Sie in Vietnam nur Tee, Kaffee und abgekochtes Wasser. Kalte Getränke, wenn sie in Originalflaschen sind, Bier erst nach Sonnenuntergang." Und hinzugefügt: „Vorsicht auch beim Essen. Am besten, Sie gehen in große Restaurants."

■ Immer besetzt. In den großen Städten gibt es gute namenlose und unendlich viele Straßenrestaurants

An diese Ratschläge erinnern sich die beiden, als sie in den Markthallen über die Fülle an Fisch, Shrimps, Krebsen und Langusten, Geflügel, Schweine- und Rindfleisch staunen. Und gehen schnell weiter. Metzgerläden oder Fischgeschäfte haben ihrer Meinung nach anders auszusehen, steriler und überhaupt ... Fleisch und Fisch bei 30 Grad im Schatten in offenen Kisten, auf Tischen, nicht mal von Glasscheiben geschützt? Mißtrauisch betrachten sie auch die vielen kleinen mobilen Garküchen und Stände auf dem Markt und am Straßenrand. Dort werden einfache Gerichte und Suppen zubereitet. Doch welch verführerischer Duft. Wenige Stunden später, im Restaurant des Hotels, ärgern sie sich. Statt des erhofften typisch vietnamesischen Gerichts wird ihnen eine Mixtur aus asiatischer, amerikanischer und europäischer Küche serviert – mit Ketchup. Nein! So nicht! „Irgendwie essen die Vietnamesen wie Chinesen", hatte die Dame im Reisebüro zu Hause gesagt. Mehr hatte sie auch nicht gewußt.

Das Abendessen beim Chinesen in Saigons Schwesterstadt Cholon ist vorzüglich. Die beiden hatten zuvor einen Blick auf die Karte geworfen und dann den Chef gebeten, für sie ein vietnamesisch-chinesisches Gericht zusammenzustellen. Kleine Röllchen werden gereicht, die nur entfernt an die bekannten Frühlingsrollen erinnern. Es folgen Fisch- und Fleischgerichte, dazwischen eine Suppe mit hellen Fleischstreifen. Garniert ist sie mit Blütenblättern weißer Chrysanthemen. Das sei eine chinesische Schlangensuppe, erklärt der Wirt später – die Überraschung ist gelungen. Als Digestif reicht er Mandelmilch. Ermutigt ersetzen sie am nächsten Morgen das Standardfrühstück im Hotel durch eine vietnamesische Nudelsuppe im Givral. In diesem Restaurant im Zentrum der Stadt habe Graham Greene einige Kapitel seines Buches „Der stille Amerikaner" geschrieben, so der Reiseführer. Sicher hat er auch Nudelsuppe mit Fleisch oder Shrimps gegessen, denn diese Spezialität steht, wie der Geschäftsführer erklärt, seit Jahrzehnten auf der Karte.

Nach der Stadtrundfahrt wieder eine Suppe an einem der kleinen Eßstände, dann gegrillter Fisch mit Reis und *nuoc mam*. „Die riecht etwas penetrant", lautet das Urteil über diese eiweißreiche Fischsauce. Aber sie schmeckt. Nichts kann das Eßabenteuer jetzt noch bremsen, weder die Flecken auf dem Tisch, noch der Schmutz auf der Straße ringsum. Anschließend, in einem Café, grüner vietnamesischer Tee mit süßem Kuchen. Man schmeckt die französische Kolonie heraus. Die Autofahrt von Saigon nach Da-Lat unterbrechen die beiden auf halber Strecke bei einem kleinen Restaurant. Die Auswahl ist nicht groß, es gibt keine Karte. Also entscheiden sich die Gäste für das, was auch die Einheimischen bestellen: Reis, Fleisch und Fisch. Dazu – natürlich – *nuoc mam*. Als Getränk reicht die Wirtin unaufgefordert grünen Tee. Viel später dann im Mekongdelta: Nudelsuppe mit Shrimps, Reis und Fleisch, auch diesmal mit *nuoc mam*.

Bei der Rückkehr nach Saigon wundern sich die Reisenden, wie gut ihnen auch Croissants mit Milchkaffee schmecken.

NIKOLAUS BORA, *geb. 1936, arbeitete viele Jahre als* ARD-*Hörfunkkorrespondent in Saigon.*

Schnäppchen in der Straße der Seidenballen

Ba Muoi San Pho Phuong – so heißt Hanoi für die Einheimischen: „Stadt der 36 Straßen und Bezirke". Ein Labyrinth von Gassen, Gängen, Sträßchen; ein Chaos von Ständen, Suppenküchen, von Werkstätten, Warenlagern, Wohnungen und Straßenverkäufern. Ineinander verknäuelt verstopfen Menschen und Ware die Gehsteige, also weicht der verwirrte Fremde auf die Straße aus, wo er sogleich wieder vom Chaos der Fahrradfahrer, Lastenträger, Cyclos und Mopeds in den Rinnstein zurückgedrängt wird. Wo gehen, wo stehen? Wo ist der Anfang, wo das Ende dieser Stadt in der Stadt?

Es gibt einen Ariadnefaden. Die Altstadt Hanois war einst unterteilt nach 36 Zünften, die sich hier im 11. Jahrhundert im Schatten des Kaiserpalastes ansiedelten. Damals hatte Kaiser Ly Thai To seine Hauptstadt hierher verlegt. Bauern, Fischer und Handwerker gründeten mit der Zeit unweit der Zitadelle Niederlassungen, bildeten Zünfte, Handswerksinnungen, Kaufmannsgilden und versorgten den Hof; Gemeinschaften und Dörfer entstanden.

Bis heute geblieben ist jene typische Form der Zuweisung der Straßen nach Zünften *(phuong),* Geschäften *(pho)* und Waren *(chang).* Also gibt es die Straße der Schüsseln *(hang bat),* die der Trommeln *(hang trong),* der Fischsoße *(hang mam),* der Segel *(hang buom),* der Baumwolle *(hang bong)* – dahin wollte ich, dort sollte es Malutensilien zu kaufen geben. „Bring mir den dicksten Kalligraphie-Pinsel mit, den du findest", hatte ein Freund mich gebeten.

Aber schon in der ersten Gasse ist der Pinsel aus dem Kopf, statt dessen bricht Souvenir-Fieber aus: Meterhohe Bündel aus Bambusstangen gleich Riesenmikado-Stäbchen, Bambusleitern von schlichter Schönheit versperren den Weg. Ach nein, leider alles nur viel zu groß als Mitbringsel.

Weiter. Um den Häuserblock herum klingen rhythmisch Hammerschläge, Granitbrösel spritzen bis auf die Straße: Graveure meißeln und fräsen hier fotogetreu Porträts in polierte Steinplatten. Vielleicht ist das ein Geschenk für den Geliebten, ein unzerreißbares Bild von mir für ihn? Zu gewichtig. Weiter. Um die Ecke herum sitzen die Schneiderinnen, zugehängt von schweren dunkelvioletten und schwarzen Samtstoffen: In zwei Tagen wollen sie mir das typische Witwenjäckchen auf den Leib geschneidert haben. Dauert zu lange und wäre noch zu früh. Weiter. In welcher Gasse bin ich?

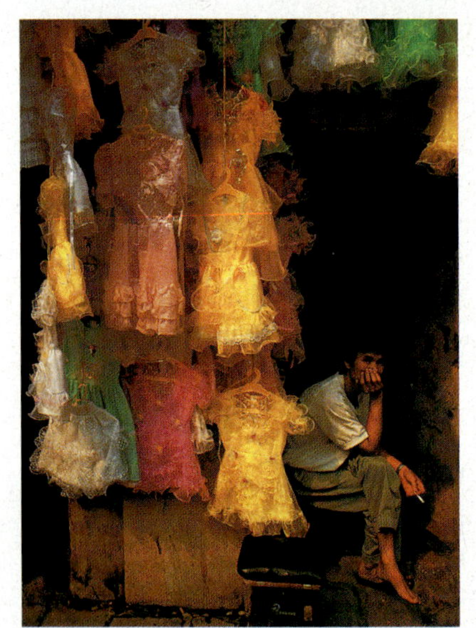

■ Neue Massenprodukte: Der Farbrausch nach Jahren des Mangels ist verständlich; das meiste Kunststoffzeug kommt als Schmuggelware ins Land

Auch an der nächsten Ecke finde ich kein Straßenschild, an der übernächsten versinke ich in kindliches Staunen über fremdartige Musikinstrumente: 16saitige Zithern, Mondlauten, zweisaitige Geigen, Mandolinen, Trommeln, Gongs. Dann dröhnen mir Lautsprecher, die in Bäumen baumeln, in die Ohren. Ist es Parteipropaganda, Gesundheitsaufklärung, eine Evakuierungsaufforderung wegen Überfüllung der Altstadt oder aber sind es Gebete?

Inzwischen dunkelt es, Ölfunzeln erleuchten die Warenhäufchen, flackern gespenstisch im Hintergrund undurchsichtiger Wohnzimmer-Geschäfte. Die Dämmerung deckt die vergammelte Bausubstanz gnädig zu, die nur von Farbe und graugrünem Schimmel zusammengehalten wird. Die wenige Meter schmalen, drei bis vier Stock hohen und hundert Jahre alten Wohnhäuser sind allesamt baufällig, nicht mehr zu retten. Die Altstadt wird in absehbarer Zeit abgerissen werden. In der *hang quat* glitzern goldrote Tempelfahnen und Grabbeigaben aus Papier, hocken

■ **Traditionelles Handwerk: Viele Alltagsgegenstände werden noch immer aus Naturmaterialien gefertigt**

Altstadtgassen

1 Gia Ngu: Marktstände Textilien (zwischen Hang Dao und Dinh Liet); Lebensmittel (zwischen Dinh Liet und Hang Be)
2 Hang Bac: Steinmetze, Ahnen- und Grabtafeln (zwischen Dinh Liet und Ng. Huu Huan)
3 Hang Bo: Näh- und Schneideutensilien (zwischen Hang Ngang und Hang Can)
4 Hang Buom: Gebäck, Lebensmittel, Spirituosen
5 Hang Can: Papier- und Schreibwaren
6 Hang Chieu: Matten, Vorhänge, Säcke, Seile
7 Hang Dao und Hang Ngang: Bekleidung, Textilien, Schmuck, Souvenirs
8 Hang Dau: Schuhe
9 Hang Dieu: Bettwäsche, Decken, Matratzen
10 Hang Dong: Schmiedewaren
11 Hang Duong: Bekleidung, Textilien
12 Hang Gai: Seide und Kunsthandwerk
13 Hang Khoai: Geschirr, Porzellan, Marktstände
14 Hang Luoc: Haushalts- und Küchenartikel
15 Hang Ma: Schmuckpapier, Lampions, Papiergeld, Papiermodelle (zwischen Hang Duong und Hang Cha Ca); Bekleidung, Stoffe (zwischen Thuoc Bac und Pho Phung Hung)
16 Hang Manh: Vorhänge, Jalousien, Musikinstrumente, Trommeln (an der Ecke Hang Quat)
17 Hang Non: Glas, Vitrinen
18 Hang Quat: Ahnenaltäre, Altarschmuck, Fahnen
19 Hang Thiec: Blechwaren
20 Hang Vai: Leitern und Stangen
21 Lan Ong: Heilkräuter, Gewürze (zwischen Hang Can und Thuc Bac)

ALTSTADT HANOI

Markt
Kirche
Tempel
Denkmal
Theater
Grünfläche

Dong Xuan / Markthalle
Bach Ma
Chuong Vang
Hang Dza / Markthalle
Hong Ha
Ngoc Son
Hoan-Kiem-See
HOAN KIEM
Kim Dong/ Wasserpuppentheater
St. Joseph's
Ba Da
Tran Nhat Dzuat
Tran Quang Khai
Pho Phung Hung
Nam De
Ly
MERIAN-Karte
0
250
500m

22 Luong Van Can: Spielzeug, Schneidereien
23 Ng. Huu Huan: Möbel
24 Ngo Gach: Farben
25 Pho Cua Dong: Stoffe
26 Pho Phung Hung: Elektroartikel, Haushaltswaren (zwischen Hang Bong und Hang Bo); Bekleidung und Stoffe (zwischen Cua Dong und Luoc)
27 Thuoc Bac: Werkzeug

grinsende Buddhas, Bodhisattvas – das Devotionalien-Angebot für Tempelbedarf, nix wie raus aus diesen Räucherstäbchen-Höhlen. Zwei Straßen weiter türmen sich die Seidenballen in allen erdenklichen Farbschattierungen, hängen dichtgedrängt *Ao dais.* Kaufen. Ja, ja, ich weiß, ich werde dies raffiniert geschnittene Gewand niemals tragen. Trotzdem.

Weiter, vorbei an politischen Souvenirläden, vielleicht ein Ho-Chi-Minh-Büstchen, ein sentimentales Mitbringsel für die zurückgebliebenen Achtundsechziger-Freunde? Altlast, weiter. In einer verkramten Galerie, hinter naiver Lackmalerei und avantgardistischen Mobiles aus Bierdosen, sind federleichte, rostrote Bambusschalen gestapelt. Mit ihnen werde ich im Flugzeug anecken. Trotzdem – und gleich vier, bitte! Ab und zu suche ich nach Orientierungshilfen, aber da steht keine T-Shirt-Gasse auf meinem Stadtplan, keine Plastiksandalen-Straße, kein Gang für Coca-Cola, Schmuggelware und Schwarzmarktpreise. Längst hat sich zwar auch Hanois Altstadt die Zünfte des 20. Jahrhunderts einverleibt, hat das Gewirr der 36 Straßen durcheinandergebracht und gesprengt, längst reicht das alte Handwerksschema nicht mehr aus. Doch nichts hat sich hier wirklich geändert seit dem 19. Jahrhundert: „Die Seele der Stadt hat sich in die Altstadt, die Straßen der Bürger und Handwerker zurückgezogen", schrieb damals die Dichterin Thanh Quan.

Irgendwann gibt es kein Weiter, alle Finger sind eingeschnürt von Päckchen-Fäden. Pardon, Jorge, den Pinsel habe ich vergessen. CHARLOTTE VON SAURMA

Die Autorin ist Mitglied der MERIAN-*Redaktion und Redakteurin dieses Heftes.*

Puppenkunst: Die Bühne steht unter Wasser

■ **Angelnder Bauer: klassische Symbolfigur für den Arbeitsalltag**

Neunte Szene – Vorhang auf: Stolz erhobenen Kopfes in der Mitte eines von vier Untertanen geruderten Bootes stehend, fährt König Le Loi auf den See hinaus und dreht majestätisch seine Runden. Da taucht plötzlich eine goldene Schildkröte auf, nähert sich dem Boot und schnappt nach dem Zauberschwert, das sie, ein göttliches Wesen, dem König einst geliehen hatte für seinen dann prompt auch siegreichen Kampf gegen die chinesischen Besatzer ... Eine Episode aus dem reichen vietnamesischen Historienschatz, zugleich die Legende vom „See des zurückgegebenen Schwertes", wie der Ho Hoan Kiem am Rand der Altstadt von Hanoi auch heißt. Daß dort Anfang 1995 tatsächlich eine Schildkröte entdeckt wurde, eine Riesenschildkröte sogar – damit haben die Dramaturgen des vis à vis gelegenen Thang-Long-Theaters bestimmt nicht gerechnet, als sie diese Geschichte in das Programm ihrer Wasserpuppenshow aufnahmen. Da hat die Wirklichkeit die Bühnenfiktion ein Stück weit eingeholt.

Dabei liegt der Ursprung des vietnamesischen Wasserpuppentheaters *(mua roi nuoc)* in einer ganz und gar nicht historisch gewordenen Wirklichkeit. Die betrifft das Wasser, auf und in dem gespielt wird. Wasser – das ist ein Grundelement in der Geschichte Vietnams, es bringt Segen und Fluch, verheerende Überschwemmungen, aber auch reiche Ernten. Wasser wird nicht nur besungen, betanzt oder sonstwie bedacht, ist nicht nur Thema, sondern auch unmittelbares Medium der Künste; und der Dorfweiher, noch heute zum typischen Erscheinungsbild der Provinz gehörend, avancierte zum Schauplatz des einzigartigen Wasserpuppentheaters. Diese Theaterform versetzte nicht erst französische Ethnologen ins Schwärmen, die darin die „Seele der vietnamesischen Reisfelder" verkörpert sahen. Schon im Jahr 1121 ließ ein Herrscher der Ly-Dynastie seine begeisterten Worte über die „niemals zuvor gesehene Schönheit" der ihm vorgeführten Wasserpuppen-Feen in Stein meißeln. Über diese Zeit ist ansonsten wenig überliefert. Erst vom 17./18. Jahrhundert wird wieder berichtet, von der Blüte, in der das Theater seinerzeit stand. Damals wurden auch feste Spielstätten errichtet – dem Wassergott geweihte pagodenähnliche Pavillons auf dem Wasser, rund 20 Meter vom Ufer entfernt, an dem sich dann die Zuschauer sammelten. Im See vor der Chua Thay steht der berühmteste seiner Art.

■ **Theater im Teich: Hinter dem Pagodenvorhang versteckt, bewegen die Puppenspieler per Fernbedienung die Figuren**

ADRESSEN

Thang Long Water Puppet Troupe
Kim Dong Theatre
57 Dinh Tien Hoang, Hanoi
Tel. 25 54 50
Vietnam Water Puppetry Theatre
Hanoi-Dong Da
32 Duong Truong Chin, Hanoi
Tel. 53 45 45 + 53 13 33

Wer sich auf seinem Vietnam-Trip das Wasserpuppentheater nicht entgehen lassen will, besucht meist das Thang-Long-Theater am Hoan-Kiem-See. Garantiert täglich steigen hier zehn Akteure bauchtief ins Wasser, um die Puppen tanzen zu lassen. Ihre Show, begleitet von fünf Musikern, ist ein Nummernprogramm mit den Highlights aus dem reichen Fundus der Überlieferung. Da sind sie alle versammelt: vom reich geschmückten Paradiesvogel bis hin zum armen Reisbauern und dem erwähnten Le Loi mit seinem Schwert – an die 150 Puppen. Und sie bewegen sich auf der Wasserfläche oft so artistisch, daß man meinen könnte, sie seien per Fernbedienung gesteuert.

Wie die Bilder und Szenen entspricht auch die Spieltechnik der Art und Weise, wie Wasserpuppentheater immer schon funktioniert hat. Es sind die für den Zuschauer unsichtbaren Stangen, Stäbe und Zugfäden, die die oft meterlange Verbindung herstellen zwischen den Figuren und ihren Steuerleuten hinter dem Vorhang. Und die – vor- oder zurückbewegt, an der einen oder anderen Stelle gezogen – für die jeweils erwünschten Bewegungen sorgen: Daß der Bauer sich bücken, der König den Arm heben, der Paradiesvogel mit den reich verzierten Flügeln schlagen und überhaupt jeder kreuz und quer über die Wasserbühne kurven kann. Je mehr Bewegungen einer Puppe abverlangt sind, desto aufwendiger ihre Herstellung, desto ausgefeilter das Gestänge und die Mechanik. Umgekehrt braucht es nur einen simplen Stab, wenn etwa ein Fisch herumschwimmen und allenfalls mal auf- und abtauchen soll; seine Hinterflosse kann sich im Wasser ebenso allein bewegen wie der lange Schwanz des Drachens. Allerdings muß nachgeholfen werden, wenn er Feuer spucken will – vor dem Auftritt wird er mit einer Ladung Zündstoff präpariert.

Wasserpuppentheater auf dem Dorf kann man indes nur noch selten erleben. Niemand weiß so recht zu sagen, was sich bis heute in den Dörfern erhalten hat. Es ist die Krux dieser wie auch anderer Formen traditioneller Künste in Vietnam, daß sie mehr und mehr Akteure und Zuschauer verlieren. Da sind es nicht selten die Touristen, die einem Theater die Existenz noch sichern.

NIKO EWERS

Der Autor, geb. 1952, Politik- und Kulturredakteur aus Bielefeld, lebte in den Jahren 1994/95 in Hanoi.

Mit dem Moped durch die Kaiserstadt Hue

Phan Ban Thinh ist 36. Sein Moped sieht fast ebenso alt aus. Es ächzt vor Altersschwäche, und wenn Thinh den stotternden Motor anwerfen will, muß es bergab rollen. Trotzdem ist Thinh stolz auf sein Gefährt. Schließlich ist es eine Honda, und sie hat ihn 100 Dollar gekostet, drei Monatsgehälter sind das für den Lehrer. Also verdient Thinh dazu, indem er Touristen durch Hue fährt. Nicht in klimatisierten Limousinen, wie sie die großen Hotels teuer anbieten. Sondern mit seinem Moped, hinten auf dem Gepäckträger.

Also los. Auf einer der beiden Straßenbrücken (die andere ist wegen Dauerreparatur seit Jahren gesperrt) über den Fluß. Huong Giang heißt er. Auf deutsch: Fluß der Wohlgerüche. Hue hat zwar keine Kläranlage, aber es ist schließlich eine Stadt der Dichter, wird uns Thinh erzählen. Was man sogar unter dem sehr prosaischen Betondach des Hauptmarktes sehen könne. Dort stapeln sich die *non bai tho,* jene „Gedichthüte", die Touristen so gern kaufen. Obwohl sicher die wenigsten lesen können, welche sentimentalen Verse die einheimischen Hutmacherinnen in die Strohkegel gestickt haben.

Also vorbei an der Reklame, die haushoch für dänisch-vietnamesisches Joint-venture-Bier wirbt. Vorbei am Königlichen Ritter, dem dicken Festungsturm, von dessen Mast schlapp die riesige, rote Fahne mit dem gelben Stern hängt. Über den Graben und durch die sechs Meter hohen Festungsmauern, die sich zehn Kilometer lang um die Gärten der Altstadt ziehen. Vorbei an neun Kanonen, die nie einen Schuß abgefeuert haben, dazu waren die Verzierungen viel zu kostbar. Dann steht da dieses mächtige Mittagstor der Zitadelle, Kulisse einer Dynastie, die nur anfangs wirklich mächtig war. Hier herrschten die ersten vier der dreizehn Nguyen-Könige, die in Hue die Kaiser von China nachahmten. Und ihr Klein-Peking bauten, samt Hofstaat, Harem und verbotener Stadt. Die anderen waren nur noch Marionetten der französischen Kolonialherren, und die bunten Aufmärsche aller neun Ränge ihrer Mandarine vor den roten Säulen des Palasts des Himmlischen Friedens glichen Kostümfesten. Nur eine wirklich bedeutende Zeremonie durfte der letzte König Bao Dai leiten:

■ Alte Royalisten. Wer nicht ausgewandert ist, besucht Hue traditionell wegen der Pflege der kaiserlichen Ahnengräber

Am 25. August 1945 übergab er auf dem Mittagstor seine Amtssiegel den siegreichen Revolutionären des Ho Chi Minh. So endeten 1007 Jahre vietnamesischer Monarchie. Bao Dai, von französischen Journalisten als ein „neurasthenischer Lüstling" beschimpft, sollte zwar noch einmal wiederkommen, als „Staatschef" unter französischem Feuerschutz und in der Begleitung einer üppigen Wasserstoffblonden. Aber seine Königsstadt lag da schon in Trümmern. Überschwemmungen hatten die Terrassen unterspült, Termiten die hölzernen Stützpfeiler angefressen, Taifune die geschwungenen Dächer abgedeckt und der Regen – von dem in Hue bis zu fünfmal mehr fällt als im nicht eben regenarmen Hamburg – die Prunkräume durchweicht. Die Franzosen hatten die Stadt bombardiert, Revolutionäre Feuer gelegt. Lange nach Bao Dais endgültigem Sturz kamen dann noch jene fürchterlichen 25 Tage im Februar 1968: Zum Tet-Fest stürmten die Vietcong Hue. Die Amerikaner setzten daraufhin zur Rückeroberung ihre gesamte Feuerkraft ein. Um das, was übrigblieb, kümmert sich die Unesco. Einige Paläste hat sie wiederaufgebaut, einige liegen noch in Ruinen, einige nicht einmal mehr das: Zwischen den Grundmauern der einstigen privaten Königsgemächer pflanzen Bauern heute Salat und Erdnüsse.

Also gleich hinaus aufs Land. Am wohlriechenden Fluß entlang, wo einst der Geist einer alten Frau den Bau der Pagode befohlen hat. Thien Mu ist Vietnams schönste geworden, mit ihrem siebenstöckigen Turm am Hochufer, ihren Pavillons mit Stelen und Steinschildkröte. Und mit diesem blauen Austin, der da, älter noch als Thinhs Moped, in einer Garage steht. Das Auto hat vor drei Jahrzehnten Geschichte gemacht: Neben ihm verbrannte sich 1963 der buddhistische Mönch Thich Quang Duc aus Protest gegen Südvietnams erzkatholischen Diktator Ngo Dinh Diem.

Thinh schüttelt den Kopf. An Diem, der aus Hue stammte, erinnert in der Stadt nichts mehr. Nur dessen Bruder Ngo Dinh Thuc, Erzbischof in Hue, hat sich ein Denkmal bauen lassen: die Kathedrale Notre Dame, eine monströse Betonburg. Steile Eisenstiegen führen hinauf auf den Turm. Von hier oben läßt sich am besten überblicken, warum im Jahr 1802 Nguyen Anh, soeben aus den dynastischen Wirren als Sieger hervorgegangen und unter dem Königsnamen Gia Long ge-

■ **Die Bibliothek des Kaiserpalastes: in alter Pracht wieder auferstanden und dekoriert mit Hilfe der Unesco**

krönt, hier seine Hauptstadt gründete. Seine Astrologen und Geomanten hatten den Ort ausgependelt: Der perfekt symmetrische Bergrücken Ngu Binh schirmt als königlicher Paravent die Stadt im Süden gegen böse Geister, die beiden Inseln Linker Grüner Drache und Rechter Weißer Tiger rahmen glückverheißend die Stadtufer. Und in den lieblichen Hügeln der Umgebung locken Jagdgründe. Irdische und ewige.

Thinhs Moped surrt durch eine gnadenlos idyllische Landschaft, durch Pinienwälder und an Reisfeldern vorbei. Überall säumen Gräber die Landstraßen. Die Mandarine haben sich hier beerdigen lassen, Prinzen und Prinzessinnen. Und die Könige selber. Schon zu Lebzeiten haben sich die Nguyen hier ihre Grabanlagen bauen lassen. Nicht nur als letzte Ruhestätte. Hier *lebten* sie. Die eigenen Gräber dienten ihnen als Sommerfrische, Jagdschloß, königliche Datsche.

So tuckert das rote Moped durch die Geschichte der Dynastie: vom zerfallenen Grab des Dynastiegründers Gia Long mit seinen überwucherten Terrassen und seinen wellblechgedeckten Pavillons hinüber zur riesigen Anlage seines Sohnes Minh Mang. Hier ist die streng konfuzianische Ordnung aus Toren, Tempeln und Teichen, Stelen und Statuen, Höfen, Brücken und Pavillons perfekt erhalten. Es fehlt auch nicht das Haus der Konkubinen, mit denen sich der königliche Macho gern vergnügte. 74 Söhne und 68 Töchter zeugte der Potenzprotz – und befördert damit heute noch den Absatz eines nach ihm benannten Kräuterlikörs: Der giftgrüne Minh Mang Thang soll schwächelnder Manneskraft aufhelfen. Minh Mangs Enkel Tu Duc mochte das bittere Gesöff wohl nicht; er konnte mit keiner seiner 104 Frauen ein Kind zeugen.

■ **Hues Wahrzeichen ist die siebenstöckige Thien-Mu-Pagode. Sie symbolisiert Buddhas sieben Inkarnationen**

Kaum war der Nachfahre begraben, kreuzten französische Kanonenboote auf. Die neuen Herren richteten sich in Hue ein. Und sie richteten vieles an. Vor allem ästhetische Verwirrung. Das Grab des vorletzten Königs zum Beispiel, Thinh findet's toll. Das ist es auch: Ein tolles Ding hat sich der Franzosengünstling Khai Dinh an einen Hügel bauen lassen: aus Beton und quietschbuntem Mosaik, vollverkabelt und elektrifiziert, ein Neuschwanstein des Fernen Ostens. Vietnams Monarchie ist heute in einem schlichteren Bau zu Hause. An einem Kanal steht eine gelbe Betonvilla aus den fünfziger Jahren. Hier lebte Bao Dais Mutter Tu Cung, bis sie 1980 starb, im Alter von 104 Jahren. Seither pflegt hier Pham Van Thiet einen Altar, vergilbte Fotos und die Erinnerung. Der 73jährige war einst Mandarin am Hofe, dann Diener der Königinmutter. Heute trägt er abends im Mandarinsgewand für zahlende Gäste auf, sein „königliches Mahl" inmitten königlichen Mobiliars. Noch ein Schluck Minh Mang Thang gefällig? Der Mandarin schwört drauf. Thinh auch. Aber sein Moped springt dennoch nicht an. JAN BIELICKI

■ **Huu Vu, eine der zwei Hallen innerhalb der verbotenen Stadt, in der sich die Mandarine auf Feiern vorbereiteten**

Der Autor, Jahrgang 1961, ist Redakteur der Woche.

Ausflug in den Inselgarten der Ha-Long-Bucht

Am Anfang war der Drache. Von den Höhen der Berge erspähte er den Vormarsch feindlicher Armeen aus dem Norden, vor denen die Bewohner des Roten Deltas in panischem Schrecken flohen. Als Ha-Long, als herabsteigender Drache, kam er den Dai Viet zu Hilfe, vernichtete mit seinem Feueratem und seinem gewaltigen Schweif die Angreifer und versank schließlich im Meer.

Berge und Schlünde taten sich auf, als der Leib des urweltlichen Riesen für immer in der Tiefe verschwunden war, ein Sturm kam auf, und die Wasser des Südchinesischen Meeres überfluteten das Drachengrab. Und es entstand die perfekteste Seenlandschaft der Erde, ein Naturpark wunderlicher geologischer Formen über spiegelblank nebligem Wasser: die Ha-Long-Bucht.

So erklären die Vietnamesen ihren Kindern die Entstehung der bizarren Meereslandschaft gut 160 Kilometer östlich der Hauptstadt Hanoi. In der Seenlandschaft der Ha-Long-Bucht verdichten sich landschaftliche Schönheit und nationale Geschichte zum berühmten Wahrzeichen Vietnams. Denn gleich dreimal entschied sich das Schicksal Vietnams in der unmittelbaren Nachbarschaft der Ha-Long-Bucht: Im Jahre 938 lockten die leichten Sampans der Vietnamesen die chinesischen Angreifer von der offenen See in die Mündung des Bach-Dang-Flusses, in dem die schweren Schiffe auf in den Flußgrund gerammte spitze Eisenpfähle liefen und sanken. Im Jahre 981, kurze Zeit nach der Gründung des ersten vietnamesischen Reiches Dai Co Viet, siegten die Landtruppen Le Hoans über die Invasionsarmee der Song-Dynastie, und 1288 ging eine weitere mongolisch-chinesische Invasionsflotte im Bach-Dang-Fluß ruhmlos zugrunde.

Auch wenn die Vietnamesen den mythischen Drachen im übertragenen Sinn als Ausdruck ihrer Kriegslist und Intelligenz verstehen – kein Fabelwesen half dem Kaiserreich ein weiteres Mal, als die Franzosen im Jahre 1884 den gesamten Norden Vietnams in ihr indochinesisches Kolonialreich integrierten. Dabei spielten die Berge im Umkreis der Ha-Long-Bucht wieder eine besondere Rolle – allerdings nicht die pittoresken Felsen über der offenen See, sondern die Kohleberge in der Nachbarschaft des Fischerdorfes Hong Gai. Zum Nutzen der französischen Kolonialwirtschaft erschlossen Zehntausende Sträflinge und Kulis von 1888 an die ertragreichsten Kohlegruben des französischen Kolonialreiches, und schon Anfang des 20. Jahrhunderts wurden Hunderttausende Tonnen alljährlich auf die Weltmärkte exportiert. Über der Ha-Long-Bucht, dem Symbol vietnamesischer Eigenständigkeit, wehte die Fahne Frankreichs, und über die Schönheiten der Meereslandschaft legten sich Abgase, Dreck und Kohleschwaden.

Die französische Kolonialherrschaft ist lange beendet, den Kohleabbau an der Ha-Long-Bucht gibt es noch heute. Gleich, wie man als Tourist anreist, ob mit der Fähre aus Hai Phong oder mit dem Auto aus Hanoi, anstelle des Feueratems mythischer Drachen erwartet ihn der Anblick unförmiger Kohleschiffe vor dem großen Felsen des Bergwerkshafens Hong Gai. Ein Erlebnis besonderer Tristesse: im Touristenort Bai Chay bedeckt schmutziger Kies den Strand und große Müll- und Ölinseln schwimmen auf dem Wasser. Auf den ersten Blick weiß man nicht, was deprimierender ist, der trübe Himmel über Bai Chay oder die Penetranz der Schlepper, die jedem Fremden Mädchen und Zimmer zum „special price“ anbieten.

■ Wasser, Fels und Himmel: 3000 Inseln bieten im Meer vor Hanoi ein einzigartiges Naturschauspiel

Verhandlungsgeschick ist geboten bei der Anmietung des richtigen Bootes am Vormittag, mit dem die Besucher in die Ha-Long-Bucht hinausfahren können. Hat man sich entschieden, beginnt die Reise mit der Passage der Wohnschiffe und Sampans, die wie eine Ansammlung amphibischer Wohnzimmer unmittelbar unter dem großen Felsen von Hong Gai dümpeln. Auf den kleinen Booten sind die kargen Utensilien ausgebreitet, die der nordvietnamesische Mensch zum Leben braucht: Fische und Krebse in Eimern, Pfannen voller Reis, Plastiktöpfe mit Wäsche, Fischreusen, winzige Stühle und Kästen und der mattenüberdachte hüfthohe Schlafraum, in

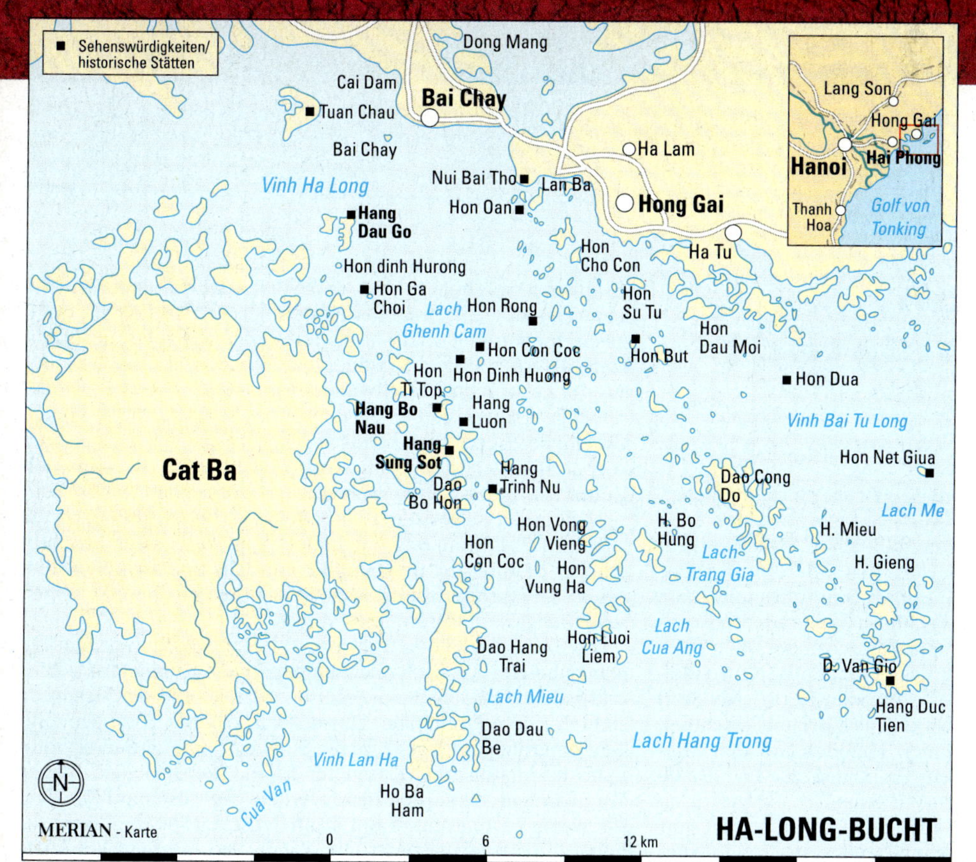

den sich die Familie samt Haustier bei Regen und Kälte zurückzieht.

Ärmlichkeit und Staub sind sofort vergessen, wenn sich hinter den letzten Felsen von Hong Gai die Bucht von Ha-Long öffnet. Über den gesamten Horizont erstreckt sich ein Konturengeriffel von Zuckerhüten, Giebeln, Bukkeln, Türmen, Pilzen und Kuppeln, in scheinbar unendlicher Staffelung hintereinander gereiht, dunkel und schroff konturiert die vorderen, immer bläulich-heller die hinteren, bis sich die letzte Reihe im Dunst von Himmel und Meer verliert. Je mehr man sich dieser geologischen Phalanx aus Stein und Meer nähert, desto phantastischer werden die Panoramen. Aus der geheimnisvoll kolorierten Skyline lösen sich einzelne Felsformationen, lassen eigene Umrisse erkennen und erwachsen in unverwechselbarer Individualität aus dem schwarzen Wasser, jeder Riesenstein für sich ein Produkt von Regen, Meer, Wind und Zeit. Die Natur selbst erscheint inmitten dieses verzauberten Felsengartens als Künstler von unerschöpflicher Kreativität: Finger, Fäuste, Arme, Tierköpfe, Pilze oder Dschunken ragen als urweltliches Bild aus dem Wasser. Etwa dreitausend dieser bizarr geformten Inseln auf etwa anderthalbtausend Quadratkilometern soll es in der Ha-Long-Bucht geben – die genaue Zahl kennt niemand. Namenlos die einen, mit historischer Bedeutung und versehen mit wunderlichen Namen die anderen. Erste größere Insel mit eigener Geschichte halbwegs zwischen Hong Gai und der großen Insel Cat Ba ist Hang Dau Go, die „Insel der hölzernen Pfähle". In ihren Grotten ließ General Tran Hung Dao die spitzen Bambuspfähle verstecken, die der Flotte Kublai Khans beim Angriff auf Vietnam im Jahre 1288 zum Verhängnis wurden. Heute schmückt die Insel Hong Dau nur noch in imposanter Verlassenheit die Bucht, bewohnt allenfalls von Vögeln, Affen und Ziegen.

Nicht ganz so verlassen, aber noch immer vom Tourismus weitgehend verschont ist die ca. 350 Quadratkilometer große Insel Cat Ba. Nachdem im Zuge des vietnamesisch-chinesischen Krieges 1979 die meisten der auf der Insel ansässigen Chinesen geflohen waren, wurde ein großer Teil von Cat Ba zum Nationalpark erklärt. Weißsandige Badebuchten unterhalb sanft geschwungener Hügelketten, Süßwasserseen und Wasserfälle, von prähistorischen Siedlern genutzte alte Höhlensysteme und eine faszinierende Flora und Fauna machen Cat Ba heute zu einem der interessantesten Reiseziele Nordvietnams.

Östlich von Bai Chay erreichen die Ausflugsboote die schönsten Felspanoramen der Ha-Long-Bucht. Hunderte wunderlicher Felsen ragen aus der offenen See: „Schildkröten", „kämpfende Hähne" oder „schlafende Jungfrauen" zieren als steingewordene Phantasiegebilde den Horizont des Südchinesischen Meeres. Dschunken mit ihrer schmetterlingsartigen Takelage kreuzen im glitzernden Wasser der spiegelblanken Bucht. Mächtige Stalagmiten sind in den zwanzig und dreißig Meter hohen Grotten von Bo Nau zu bestaunen. Über sperrige Felsen klettern die Touristen in die Höhlen, um die Schönheiten der Ha-Long-Bucht noch einmal durch einen stalagmitengesäumten Ausschnitt zu betrachten. Zahlreiche Fischerboote sind im Umkreis von Bo Nau und Sung Sot vertäut, kleine Sampans verfolgen die Besucherboote, Seerosen, Fische, Nudeln und Getränke werden feilgeboten. Die einheimischen Fischerfrauen jagen ihre Kleinkinder den Touristen hinterher. „Stylo, Stylo", krähen die Jungen und Mädchen, während sie neben Taiwanesen, Japanern und Europäern herlaufen.

Über struppig bewachsene Pfade erreicht der Besucher die Grotten von Sung Sot – Höhleneingänge, die gleich Balkonen über die See hinausragen. Wie in einem komponierten Naturidyll umrahmen Zweige und Blätter die Aussicht auf das smaragdgrüne Meer, die Zauberfelsen unter den Füßen und die zahlreichen Dschunken, die um die großen und kleinen Inseln kreisen. Gäbe es einen Gottesbeweis aufgrund der Schönheit der Welt, angesichts der Ha-Long-Bucht könnte man versucht sein, ihn für gefunden zu erklären. LUDWIG WITZANI

Der Autor, Jahrgang 1950, Dr. phil., ist als Reisejournalist auf südostasiatische Themen spezialisiert.

REISE-INFORMATION

Die Ha-Long-Bucht wird auf organisierten Reisen von Hanoi aus besucht. Es ist aber auch möglich, die Exkursion auf eigene Faust zu unternehmen, wenn sich mehrere Personen in Hanoi ein Taxi für ein Wochenende mieten. Die Fahrt durch das nördliche Rote Delta dauert gut sechs Stunden. Man kann sie auch mit einem Besuch der Hafenstadt Hai Phong verbinden: Mit der Eisenbahn von Hanoi nach Hai Phong und von dort mit mehrfach täglich verkehrenden Fähren über die Insel Cat Ba nach Bai Chay oder Hong Gai. Übernachtungsmöglichkeiten gibt es in Bai Chay. Für den eigentlichen Ausflug in die Ha-Long-Bucht mit einem gemieteten Boot (auf Fahrtüchtigkeit achten!) sollte man mindestens fünf Stunden ansetzen.

Nach My Son, in die Tempelstadt der Cham

Um nach My Son zu kommen, gibt es einen einfachen und einen beschwerlichen Weg. Einfach ist es, für etwa 50 US-Dollar in Da Nang eine Tour zu buchen. Beschwerlich, aber lohnender ist es, die Reise mit Taxi oder Motorroller selbst zu gestalten, denn der Weg nach My Son führt durch eine der schönsten Landschaften Indochinas. Von Da Nang aus sind die Straßen gut, bis sich hinter Hoi An der Weg über Lehmpfade und wackelige Holzbrücken landeinwärts wendet, immer weiter nach Westen auf den „Schönen Berg" (My Son) zu, der als stumpfer Kegel allmählich am Horizont erscheint. Dichtbewachsene Hügel mit kleinen Pagoden auf den Gipfeln, endlose Reisfelder in üppigem Grün und eine lose Reihe ordentlicher kleiner Dörfer wechseln einander ab wie in einem Musterprospekt asiatischer Idylle. Die Erntezeit ist vorüber, und der ländliche Müßiggang zeigt sein freundliches Gesicht: Mädchen in phosphatweißen Blusen und roten Halsbinden fahren mit viel zu großen Fahrrädern über die Dorfstraßen, Dutzende von Knirpsen raufen sich um einen Gummiball, die Erwachsenen sitzen teetrinkend am Straßenrand.

Hier, in den Tälern Zentralvietnams und an seinen Küsten, lebten die Cham, ein begabtes Kulturvolk, das sich gegen Chinesen und Vietnamesen, gegen das Imperium der Khmer und javanische Seeräuber über anderthalb Jahrtausende zu behaupten wußte. Nach langer glanzvoller Zeit und einem tragischen Niedergang sind sie bis auf einige zehntausend Nachkommen im heutigen Vietnam und Kambodscha auch wieder aus der Geschichte verschwunden.

Geblieben aber sind die hinduistischen Tempelanlagen auf den Gipfeln der Berge oder in abgelegenen Tälern, seltsame Fremdkörper inmitten der konfuzianisch geprägten ostasiatischen Kultur. In My Son, einer verfallenen Tempelstadt knapp siebzig Kilometer südwestlich von Da Nang, findet man noch die beeindruckendsten monumentalen Überreste. Hier errichteten die Baumeister und Könige von Champa zwischen dem 4. und 13. Jahrhundert dieses insgesamt siebzig Tempel umfassende religiöse Zentrum ihres Volkes.

Nach dreißig Kilometern asphaltierter Straße zwischen Da Nang und Hoi An, nach noch einmal dreißig Kilometern Lehm- und Feldwegen scheint die Reise zu Ende, und der Besucher steht vor dem Dschungel. Der mit italienischer Hilfe geplante Bau einer Asphalttrasse ist ins Stocken geraten, und so muß man die letzten fünf Kilometer zu Fuß zurücklegen. Dieser Weg ist nicht sonderlich beschwerlich, doch es empfiehlt sich, für wenige Dong einen der Einheimischen als Führer anzuheuern, denn längst nicht alle Minen, die während des Vietnamkrieges im Dschungel von My Son gelegt wurden, konnten bis heute entschärft werden. Nach rund einer dreiviertel Stunde erreicht man die alte Tempelstadt der Cham.

■ Der „Schöne Berg": Das von Krieg und Natur geschundene Heiligtum zeugt immer noch von höchster Baukunst

Auch nach Jahrhunderten des Verfalls und der Zerstö-

rung ist der erste Eindruck von My Son noch immer märchenhaft. Jeder, der diesen Platz betritt, spürt einen Anhauch des Unberührten, als stammten diese Tempel nicht nur aus einer anderen Zeit, sondern auch aus einer anderen Klimazone: das Tal dampft, Nebelfetzen wallen wie ein Umhang über den dicht bewachsenen Kuppen der umliegenden Berge. Auf mehreren Emporen stehen Tempeltürme und Hallen, von Büschen und Farnen überwuchert.

■ Angehörige der Cham-Minderheit: An ihren muslimischen Feiertagen tragen sie traditionelle Tracht

Aus dem Gras- und Pflanzenmeer, das alle Tempelgruppen von My Son umgibt, ragen die Kalane, die Tempeltürme der Cham, wie das Relief eines verwitterten Gebirges. Auf dem höchsten Punkt des Weltgebirges, auf der Spitze des mythischen Berges Meru, residiert nach der hinduistischen Kosmologie Shiva als Herr aller irdischen Schöpfung und Vernichtung. Nahezu die gesamte hinduistisch beeinflußte Architektur Asiens ist diesem Motiv des Weltberges Meru verpflichtet, und so beschwören auch die Tempeltürme in My Son die irdische Verdoppelung des Weltberges als Schnittstelle von immanenter und transzendenter Wirklichkeit. Shivas Wohnsitz im Zentrum des Universums war nach der hinduistischen Mythologie von himmlischen Tänzerinnen, den Apsaras, umgeben; die Baumeister der Cham versahen die Außenflächen der Tempel mit kunstvoll gestalteten Apsara-Skulpturen, außerdem mit zahlreichen Tierplastiken und Ornamenten. Wie von der Zeit vergessene Engel blicken die Fabelfiguren und Götter von den Tempelfriesen auf die Besucher herab. Shivas Lingam – das Fruchtbarkeitssymbol des hinduistischen Hauptgottes in der Tempelanlage – gewinnt inmitten der überbordenden Üppigkeit des Tales eine eindringliche Evidenz: steht die Geschichte auch still, die Natur zeugt weiter. Wo heute Sträucher und Wurzelwerk die Dächer der Türme und Hallen überwuchern, befanden sich früher große Platten aus Goldblech, die allabendlich My Son in ähnlicher Weise im Widerschein der Sonne erstrahlen ließen, wie es die Hindu-Mythologie von den Gipfeln des Meru behauptet. Das imaginäre Zentrum des Universums, in menschlichen Maßen auf Erden nachgebaut und damit direkt mit dem Schicksal der Cham verbunden – das war die Bedeutung der Tempelstadt My Son.

Wahrscheinlich zu Beginn unserer Zeitrechnung aus dem Osten der kambodschanischen Tiefebene eingewandert, widersetzten sich die Cham dem Versuch der Chinesen, ihr vietnamesisches Kolonialreich über die natürliche Grenze des Wolkenpasses hinweg auszuweiten, besiedelten ihrerseits die Küsten Zentralvietnams und unternahmen Raubzüge bis an die Grenzen des Roten Deltas. In der Auseinandersetzung mit dem Reich der Mitte erfolgte der Eintritt des noch namenlosen Volkes in die Geschichte: Als Vertreter der „Lin Yi“ oder als „Cham“ wurden ihre Gesandtschaften vom dritten Jahrhundert an in China empfangen.

Ihren Namen erhielten die Cham von den Chinesen, aus Indien importierten sie die Kultur: Animistischer Geisterglaube verschmolz mit hinduistischen und buddhistischen Glaubensvorstellungen. Einer gesellschaftlichen Organisation, die auf der Klanstruktur beruhte, wurde eine milde Variante des indischen Kastensystems übergestülpt; der Holztempelbau wich der Steinkonstruktion; ein leistungsfähiger Trockenreisanbau sowie Handel und Seefahrt schufen die Basis einer lebensfähigen hinduistischen Kultur. Die Könige der Cham galten ähnlich wie die Imperatoren von Angkor als Inkarnationen Shivas, und in dieser gottgleichen Position erbauten sie in ganz Champa, vom Wolkenpaß bis an die Grenzen des Mekong-Deltas, immer neue Tempel zur Ehre der Götter und ihrer selbst. Als geschickte Seefahrer und Händler zogen die Cham hohe Gewinne aus dem südostasiatischen Gewürzhandel mit Zimt, Nelken, Pfeffer und Kardamom, und mit ihren Flotten beherrschten sie lange Zeit die Gewässer des Südchinesischen Meeres. Der Machtentfaltung ihrer größeren Gegner aber waren sie nicht gewachsen, und so endeten alle großen Kriege, die die Cham führten, mit der Zerstörung ihrer Hauptstädte: Sinhapura wurde im Jahre 603 von den Chinesen niedergebrannt, die nächste Hauptstadt, Virapura, die „herrliche Stadt“, fiel 787 den Javanern in die Hände. Die Vietnamesen, gerade von der chinesischen Kolonialherrschaft befreit, zerstörten im Jahre 982 Indrapura, die dritte Hauptstadt der Cham, und die Imperatoren von Angkor besetzten 1145 die vierte Hauptstadt, Vijaya. Dagegen blieben die offensiven Aktionen der Cham immer nur Episoden: die Schätze, die von den Javanern 787 aus Virapura geraubt worden waren, wurden in einem Handstreich zurückgeholt, tollkühn war auch die Eroberung Angkors durch eine Cham-Flotte, die im Jahre 1177 den Mekong und den Tonle Sap hochsegelte, um die größte Tempelstadt Asiens zu brandschatzen.

Daß sich die Cham niemals geschlagen gaben, sondern sofort eine neue Hauptstadt gründeten, sobald die alte in Flammen aufgegangen war, mag damit zusammenhängen, daß sie sich an den Boden Zentralvietnams als den Ort ihrer heiligen Stätten klammerten. Sinhapura und Indrapura befanden sich im Umkreis von My Son, und erst die letzte Hauptstadt Vijaya wurde in den Süden verlegt, weil der gleichzeitige Druck von Vietnamesen und Khmer übermächtig geworden war.

Nach der Zerstörung der Cham-Hauptstadt Vijaya im Jahre 1471 begann der unaufhaltsame Niedergang der einstmals so bedeutenden Cham. Immer weiter nach Süden abgedrängt, wurden sie schließlich zu Vasallen der Vietnamesen und verschmolzen im Völkerstrudel des Mekong-Deltas mit der übermächtigen Eroberernation. Im Windschatten der Weltgeschichte verfiel derweil ihre heilige Stadt. Doch die Geschichte hielt ein verspätetes, aber um so grausigeres Finale bereit. Als sich Kampfeinheiten des Vietcong 1968 in der Entscheidungsphase des Vietnamkrieges in die unzugänglichen Täler rund um My Son zurückzogen, wurde das gesamte Gebiet von den Amerikanern zur „free fire zone“ erklärt und zum Flächenbombardement aus der Luft freigegeben. Der überwiegende Teil der einst siebzig Tempel von My Son versank in Schutt und Asche. Was der Besucher heute sehen kann, sind nur die mühsam rekonstruierten Überreste verfallenen Glanzes.

LUDWIG WITZANI

Belletristik

Thu Huong Duong: Roman ohne Titel. Horlemann, 1995; 38 DM
Marguerite Duras: Der Liebhaber. Suhrkamp, 1995; 9,80 DM
Graham Greene: Der stille Amerikaner. dtv, 1993; 10 DM
Thich Nhat Hanh: Die Sonne, mein Herz. Theseus, 1994; 22,50 DM
František Honsák/Petra Müllerová/Marie Žáková: Vietnamesische Märchen. Werner Dausien, 1991; 18 DM
Hella Kothmann: Frauen in Vietnam. Erzählungen. dtv; 14,90 DM
André Malraux: Der Königsweg. dtv, 1993; 9,90 DM

Bildbände

Michael Hamm/Edith Gerlach: Euro-Asiatische Küche. Hädecke, 1990; 39,80 DM
Friedrich Schwarzenauer/Lois Hechenblaikner: Vietnam. Bucher, 1992; 58 DM
Pietro Tarallo: Asien. Der ferne Osten. Umschau, 1995; 98 DM
Ann Helen Unger/Walter Unger: Hue – Die Kaiserstadt von Vietnam. Hirmer, 1995; 98 DM
englische Publikationen:
Jan Banning: Viêt Nam. Dôi Mói. Uitgeverij Focus, 1993
Geoffrey Clifford/John Balaban: Vietnam. The Land we never knew. Chronicle Books, 1980
David Tornquist/Guido A. Rossi: Vietnam. Flint River Press, 1991
Michael Yamashita: Mekong. A Journey on the Mother of Waters. Takarajuina Books, 1995
französische Publikationen:
Jean-Leo Dudgast/Philippe Franchini: Majestueux Vietnam. Éditions Atlas, 1994
Jean-Claude Labbé: Vietnam. Intimité Émotions Sensations. Hatier, 1991
Jean Rey: Vietnam. Terre de tous les rêves. Éditions Soline, 1993
Jean Rey: Viêt-Nam aux mille visages. Association France Vietnam Culture, 1993

Sachbücher

Peter Arnett: Unter Einsatz des Lebens. Der CNN Reporter live von den Kriegsschauplätzen der Welt. Droemer, 1994; 49,80 DM
W. Draguhn/R. Hofmeier/M. Schönborn: Politisches Lexikon. Asien, Australien, Pazifik. Beck; 24 DM
Oriana Fallaci: Nichts und Amen. dtv, 1995; 16,90 DM
Krisenherde der Welt. Konflikte und Kriege seit 1945. Westermann, 1995; 39,80 DM
Ursula Lies: Literaturakademie der 28 Sterne. Der vietnamesische Roman. 1000 Jahre Literaturtradition. Horlemann, 1991; 24 DM
Wibke Lobo: Erzählende Reliefs von Angkor Vát. Einige Originalabgüsse im Museum für Indische Kunst Berlin. Staatl. Museum Preußischer Kulturbesitz, 1986; 5 DM
Robert S. McNamara: In Retrospect. Hoffmann und Campe, 1996
Sheehan Neil: Die große Lüge. John Paul Vann und Amerika in Vietnam. Europa, 1994; 68 DM
Frank R. Pfetsch: Konflikte seit 1945. Asien, Australien und Ozeanien. Ploetz, 1991; 48 DM
Stefan Reinecke: Hollywood goes Vietnam. Hitzeroth, 1993; 48 DM
Henri Stierlin: Enzyklopädie der Weltarchitektur. Benedikt Taschen, 1994; 29,95 DM
Oskar Weggel: Indochina. Vietnam. Kambodscha. Laos. Beck; 24 DM
englische Publikationen:
The Far East and Australasia. Regional Surveys of the world. Europa Publications, 1994
Bao Ninh: The Sorrow of War, A Novel of North Vietnam. Pantheon Books, 1993 (erscheint auf deutsch 1996 bei Kiepenheuer & Witsch)
Dawn F Rooney/Michael Freeman: Angkor. Passport Books, 1994

Buchtip

Rick Smolan & Jennifer Erwitt: Passage to Vietnam Against All Odds Productions, 1994, 50 US$ Buch, 75 US$ CD-ROM
Die Crème des internationalen Fotojournalismus reiste 1994 nach Vietnam und lichtete das Land und seine Menschen in all seinen Facetten und Winkeln ab. Der Bildband, der unter Beteiligung von 70 Fotografen entstand, ist kein Führer, sondern eine Eloge an die große Fotografie. Dazu gibt es eine interaktive CD-ROM, die alle Essays des Buches in bester Qualität zum Leben erweckt. Bestellung unter Tel. 001.415.331.6300, Fax 001.415.331. 9400

Reiseführer

Hans-Ulrich Bernard (Hg.): Südostasien. Erlebnis Natur. Apa Guides, 1994; 44, 80 DM
Wolf Eckart Bühler/Hella Kothmann: Vietnam-Handbuch für individuelles Reisen und Entdecken. Reise Know-How, 1994; 36 DM
R. Doring/St. Loose/W. Mlyneck: Südostasien Handbuch. Stefan Loose, 1993; 39,80 DM
Claudia Götze/Sam Samnang: Khmer für Globetrotter. Reise Know-How, 1991; 14,80 DM
Monika Heyder: Vietnamesisch für Globetrotter. Reise Know-How, 1995; 14,80 DM
Hans Illner: Reiseland Vietnam. Edition Aragon, 1993; 36 DM
John R. Jones: Vietnam Reisehandbuch. Stein, 1990; 24,80 DM
Kambodscha Laos. Nelles; 26,80 DM
Franz-Josef Krücker: Vietnam. Edition Erde, 1994; 39,80 DM
Andreas Neuhauser: Kambodscha-Handbuch. Reise Know-How, 1994; 29,80 DM
D. Robinson/R. Storey/T. Wheeler: Vietnam Kambodscha. Stefan Loose, 1994; 36 DM
Michael Schultze: Laos Handbuch. Reise Know-How, 1995; 29,80 DM
Annaliese Wulf: Vietnam. DuMont Kunst-Reiseführer, 1991; 56 DM
Vietnam. Nelles Guide, 1995; 26,80 DM
Vietnam. Marco Polo, 1995; 9,80 DM
Klaus Werner: Laotisch für Globetrotter. Reise Know-How, 1991; 14,80 DM
Helen West (Hg.): Vietnam. Apa Guides, 1992; 44,80 DM
Joseph Yogerst: Vietnam. Suntree-Guide, 1993; 34,80 DM
englische Publikationen:
Barbara Cohen: The Vietnam Guidebook with Angkor Wat. Haughton Mittling Company, 1991
Joe Cummings: Laos. Lonely Planet, 1994
J. Eliot/J. Bickersteth/J. Colet: Vietnam, Laos & Cambodia Handbook. Passport Books, 1994

Karten

Indien Indochina. 1:4 000 000. Bertelsmann; 24,80 DM
Vietnam, Laos, Cambodia. 1:1 500 000. Nelles; 14,80 DM
Vietnam Cambodia & Laos. 1:2 000 000. Bartholomew; 15,80 DM

Bildnachweis

Anordnung im Layout: l = links, r = rechts, o = oben, u = unten, m = Mitte. Titel: Guido Alberto Rossi/The Image Bank, Milano; S. 3 l M. Weiss/Ostkreuz; Jerry Bauer; Marianne Fleitmann; S. 4 o Walter Unger, m Harro Maass, u Robert v. d. Hilst; S. 5 o Catherine Karnow/W. Camp, ml Steve Raymer, m Marc Riboud, ul Jeffrey Aaronson/Network Aspen, ur Greg Davis; S. 7 o Rossi/TIB; S. 8 o Harald Wenzel, m Sybille Scharmann; S. 10 o Friedrich Stark, m v. d. Hilst; S. 12 o Wolfgang Bellwinkel; S. 13 mr Monica Almeida; S. 14 m Wenzel; S. 16/17 v. d. Hilst; S. 17 u Q. Sakamaki/JB Pictures; S. 18/19 Rossi/TIB; S. 20/21 Raymer; S. 21 o v. d. Hilst, u Raymer; S. 22/23 Chris Sattlberger/Ag. Anzenberger; S. 24/25 Bellwinkel; S. 25 o v. d. Hilst, u Johann Scheibner; S. 26/27 Geoffrey Clifford; S. 28 o Karen Kasmauski/Matrix/Focus, u Raymer; S. 28/27 v. d. Hilst; S. 30/31 Wolfgang Hellige; S. 36–44 v. d. Hilst; S. 38 Jens Palme; S. 40/41 Karnow/W. Camp; S. 46, 48, 49 Walter Unger/Stern Syndication; S. 50, 51, 57–61 Riboud; S. 53–55 Ned M. Seidler/National Geographic Society; S. 62/63 Preuss. Kulturbesitz; S. 66–75 v. d. Hilst; S. 78, 80 m GLMR/Studio X; S. 79 m, 81 u, 82 o Wenzel; S. 79 u Clifford; S. 80 u Guido Schiefer; S. 81 o Stark; S. 82 u D. A. Harvey/Magnum/Focus; S. 83 m Nicolas Cornet/Contact; S. 83 u Stark; S. 86/87 Clifford; S. 88 o Harry Gruyaert/Magnum/Focus, u Douglas Robertson; S. 89 Bernhard Limberger/holiday; S. 90/91 J.-Cl. Labbe/Gamma/Studio X; S. 92 o Rossi/TIB, u Mike Yamashita; S. 93 Karnow/W. Camp; S. 102–109 Davis; S. 104 o Sattlberger/Anzenberger; S. 108 ol, 109 u Yamashita; S. 113 Markus Wächter; S. 114 Richard Dobson; S. 116 Thomas Billhardt/Der Themendienst; S. 117 AP; S. 118 lo Ullstein, lm Keystone, ul Ullstein/AP, ro Keystone; S. 119 lo Ullstein, lm DPA, ro Keystone/Edward T. Adams, rm DPA, ru UPI/Bettmann Newsphoto; S. 120 Archive Photos; S. 121 Kinoarchiv Peter W. Engelmeier; S. 123 o Scheibner; S. 124 Patrick Loertscher; S. 126 Pierre Perrin/Efeo/Cerezales/Studio X; S. 128 o, 129 Franz-Josef Krücker, u Limberger/holiday; S. 130 v. d. Hilst; S. 132 Jean-Léo Dugast; S. 132/133 o Sarah Lock; S. 134 o Scharmann, u Paul Stepan-Vierow; S. 136 Karnow/W. Camp; S. 136/137 o Karin Desmarowitz; S. 137 m Dirk Renckhoff, u Karnow/W. Camp; S. 138, 140, 141 Wenzel; S. 144 Roberto Meazza/Photoland; S. 144/145 o Dilip Mehta/Contact; S. 146 o Leon Maresch, u Kasmauski/Matrix/Focus; S. 150 o Wolfgang Kaehler/Fotoarchiv Peter Fischer; S. 151 Yamashita; S. 152 o Gerhard Oberzill, u Davis; S. 153 o Oberzill, u Yamashita.

Illustrationen und Karten

Jürgen Willbarth zeichnete die Karte auf S. 3. Der Corso S. 7–14 wurde von Sylvia Pöhlmann illustriert. Die Zeichnungen der Seiten 53–55 stammen von Ned M. Seidler/National Geographic Society. Nguyen Tien-Huu fertigte die Kalligraphien auf den Seiten 67–74. Die Tierzeichnungen auf den Seiten 96–101 wurden von Harro Maas erstellt. Die MERIAN-Karte S. 147–149 stammt von Computerkartographie Huber/Layout und Vignetten: Max Michael Holst. Alle weiteren Karten und Tabellen: Computerkartographie Huber. Das Schlußzeichen entwarf Heinz Schultchen.

Bemerkungen

Den Text von Breyten Breytenbach übersetzte Hanna Neves.
Beilagenhinweis: Einem Teil dieser Auflage liegen Prospekte des Jahreszeiten Verlages, Hamburg, und der Firma Karussel Musik + Video, Hamburg, bei.

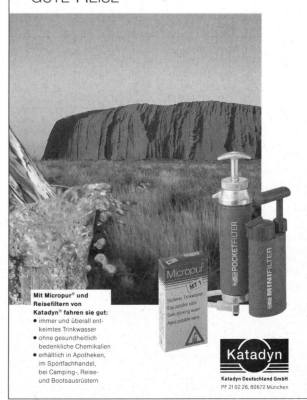

Hotels

Vietnam

Da Nang
Bach Dang
50 Bach Dang
Tel. 2 30 34, Fax 2 16 59
Älteres Haus mit großen Zimmern direkt an der Promenade, einige mit schönem Blick auf den Han-Fluß

Hanoi
Hoa Binh
27 Ly Thuong Kiet
Tel. 25 33 15, Fax 26 98 18
Staatliches Hotel mit akzeptablem Standard südlich des Hoan-Kiem-Sees
Reisebüro Especen
79 Hang Troung
Tel. 26 68 56, Fax 26 96 12
Reiseveranstalter, der Zimmer privater Minihotels vermittelt
Royal
20 Hang Tre
Tel. 24 42 33, Fax 24 42 34
Neues, modern eingerichtetes Hotel mit internationalem Standard am Rand der Altstadt
Saigon
80 Ly Thuong Kiet
Tel. 26 84 99, Fax 26 66 31
Neues Standardhotel unweit des Bahnhofs

Hue
Century Riverside Inn
49 Le Loi
Tel. 2 33 90, Fax 2 33 99
Das große Hotel steht unter Hongkonger Management und liegt direkt am Parfümfluß mit Blick auf die Zitadelle
Villen in der Ly Thuong Kiet
Tel. 2 39 45, 2 39 64, Fax 2 58 14
In mehreren Villen in der neuen Stadt südlich des Flusses gibt es große Zimmer: gemütlich, ohne viel Komfort

Nha Trang
Cau Da Villas
Tran Phu, Vinh Nguyen
Tel. 8 10 49, Fax 8 14 71
Die Villen aus den zwanziger Jahren dienten einst königlichen und republikanischen Staatsführern als Erholungsort. Sie liegen abgeschieden südlich des Ortes oberhalb eines privaten Strandes mit Anlegestelle für Boote
Vien Dong
1 Tran Hung Dao
Tel. 2 16 06, Fax 2 19 12
Standardhotel mit großem Pool. Sportmöglichkeiten unweit des Strandes

Saigon/Ho-Chi-Minh-Stadt
Huong Sen
70 Dong Khoi
Tel. 29 14 15, Fax 29 09 16
Nicht schön, aber preisgünstig und zentral gelegen
Saigon
45 Dong Du
Tel. 29 97 34, Fax 29 14 66
Mit Zimmern in unterschiedlichem Renovierungszustand, in einer Seitenstraße der Dong Khoi. Freundliches Personal

Zur raschen Orientierung wird im Panorama auf die Planquadrate der großen MERIAN-Karte hingewiesen.

VIETNAM

Can Tho (250 000 Ew.) Die Universitätsstadt (seit 1966) ist der größte Ort im Mekong-Delta und Zentrum des Reishandels. Der bunte Markt lohnt ebenso einen Besuch wie das Gemeindehaus Dinh Long Thuyen (1852). Über Flußarme und Kanäle gelangt man von Can Tho aus in jede Ecke des Deltas. Berühmt sind die Bootsrennen der Khmer in Soc Trang (60 km südöstlich) alljährlich am 14. Tag des zehnten Mondmonats. (N 3)

Cu Chi Der legendäre Ho-Chi-Minh-Pfad, der für den Vietcong zur kriegsentscheidenden Nachschublinie wurde, ist nur an wenigen Stellen genau zu lokalisieren. Sein südliches Ende lag in einem 200 km langen Tunnelsystem. Wie die Vietcong-Partisanen unter den Füßen der Amerikaner operierten, erfährt man in den Tunnelabschnitten von Cu Chi, 35 km nordwestlich von Saigon. Obwohl die Stollen vergrößert wurden, ist dies kein Ort für Klaustrophobiker. (M 4)

Cuc-Phuong-Nationalpark Vietnams erster Nationalpark wurde 1962 gegründet. Auf 250 km² präsentiert sich 100 km südlich von Hanoi eine Dschungellandschaft mit einzigartiger Flora und Fauna. Die Chancen, von Wilderern bedrohte Tiere zu fotografieren, sind sehr gering. Zu sehen gibt es zwischen den bis zu tausend Jahre alten Baumriesen vor allem farbenprächtige Schmetterlinge und Vögel. (E 5)

Da Lat (100 000 Ew.) Das angenehme Klima in knapp 1500 m Höhe veranlaßte den Arzt Alexandre Yersin, den Platz als Standort eines Sanatoriums zu empfehlen. Um 1920 entstand hier ein Höhenkurort. Französische Kolonialisten bauten Villen, legten Gärten und einen See an. Heute ist „Petit Paris" ein touristischer Rummelplatz, der jährlich von 400 000 Vietnamesen besucht wird. Vor allem Flitterwöchner lieben den Ort. Trotz des Trubels lohnt das Relikt der Kolonialzeit einen Trip. (M 6)

Da Nang (600 000 Ew.) Der von den Franzosen Tourane genannte Ort machte im Vietnamkrieg Schlagzeilen. 1965 landeten hier die ersten amerikanischen Soldaten, später war Da Nang eine der größten Militärbasen des Landes. China Beach, einst Strand der GIs, lockt heute mit seinem weißen Sand zahlungskräftige Touristen an. Hauptattraktion der Stadt ist das Museum der Cham-Skulptur. Ausgestellt sind etwa 300 Reliefs und Plastiken dieser indisch beeinflußten Frühkultur. Südwestlich von Da Nang, jenseits der Marmorberge, kann man die Reste der Cham-Tempelstadt My Son besichtigen. (I 7)

Vom Krieg genesen: Wirtschafts- und Industriezentrum Da Nang

Dien Bien Phu (10 000 Ew.) Frankreichs Debakel im Indochinakrieg fand etwa 500 km westlich von Hanoi statt, nahe der Grenze zu Laos. Die „uneinnehmbare Dschungelfestung" der Kolonialisten fiel im Mai 1954. Ein kleines Museum dokumentiert die Schlacht. Das Tal von Dien Bien ist eine vietnamesische Enklave inmitten der von ethnischen Minderheiten bevölkerten Berglandschaft. Interessant sind Ausflüge zu den Siedlungen der Schwarzen Thai und der Hmong. (C 3/4)

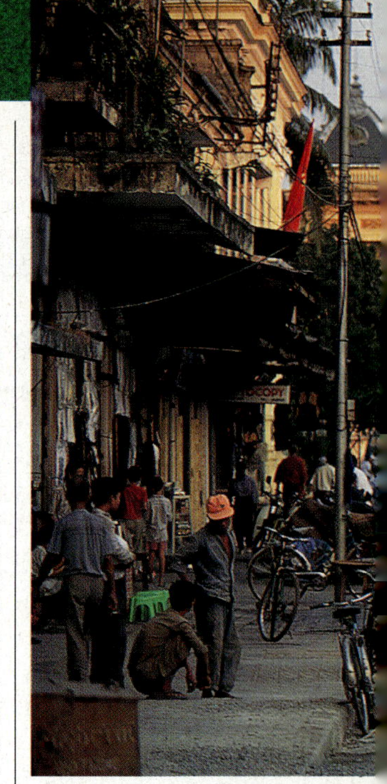

Architektur heimwehkra

Dong Ho In der Provinz Ha Bac liegt das „Dorf der Neujahrsbilder". Hier kann man zusehen, wie von hölzernen Druckstöcken mit traditionellen Motiven Abzüge auf speziell imprägniertem Papier hergestellt werden. Besonders prächtige Exemplare dieser landesweit berühmten Drucke sind auch im Museum der Schönen Künste in Hanoi zu bewundern. (D 6)

Ha-Long-Bucht „Herabsteigender Drache" – ein angemessen poetischer Name für die Bucht im Norden, die zu den großartigsten Naturschönheiten des Landes zählt. Über 1500 km² erstreckt sich ein Archipel mit etwa 3000 Inseln; es gibt unzählige Strände und Grotten. Nur bei Hong Gai trüben die Spuren des Kohleabbaus das Bild. Im 1986 gegründeten Nationalpark auf der Insel

onialherren: Die Oper in Hanoi ist eine Kopie der Pariser Oper

Cat Ba sind mehr als 600 Pflanzen- und zahlreiche Tierarten heimisch. (D/E 6/7)

Hai Phong (1,5 Mio. Ew.) Die Kriegsschäden in dem nach Saigon zweitgrößten Hafenplatz Vietnams sind noch nicht beseitigt. Touristen hat die Industriestadt nur wenig zu bieten. Von Interesse sind allenfalls das Gemeindehaus von Hang Kenh mit etwa 500 Schnitzereien, sowie der Tempel Den Nghe, der Le Chan gewidmet ist, einer führenden Teilnehmerin am Aufstand gegen die Chinesen 38 n. Chr. (D/E 6)

Hanoi (3 Mio. Ew.) Die Landeshauptstadt ist ruhiger und historisch interessanter als Saigon. Ihr Name beschreibt die Lage: „Ha“ bedeutet Fluß, „Noi“ die Innenseite. 1831 wurde die Bezeichnung erstmals urkundlich erwähnt. Bereits 1010 war der damals „aufsteigender Drache“ genannte Ort am Roten Fluß Vietnams Kapitale. 60 Jahre später wurde der Literaturtempel Van Mieu angelegt, der als Konfuzius-Kultstätte und Beamtenakademie diente. Die Tempelanlage ist Sehenswürdigkeit, das Ho-Chi-Minh-Mausoleum eine Attraktion. Dieser Monumentalbau (1973–75) erhebt sich am Ba-Dinh-Platz, auf dem Ho Chi Minh 1945 Vietnams Unabhängigkeit proklamierte. In der Nähe steht die Einsäulenpagode (urspr. 11. Jh.). Zwischen der ehemaligen Zitadelle und dem Roten Fluß liegt die Altstadt. Die Gassen in dem einstigen Handwerkerviertel tragen die Namen der einst dort feilgebotenen Ware. Hier kann man gut einkaufen, französisch oder auch traditionell speisen (Vorsicht, Hunde!). Eine ganz andere Spezialität ist das Wasserpuppentheater am Hoan-Kiem-See, an den im Süden das einstige französische Kolonialviertel grenzt. Hanois Umland ist reich an sehenswerten Pagoden. Zu den schönsten gehören Chua Tay Phuong und Chua Thay westlich der Stadt. (D 5/6)

Hoa Binh Am Fluß Song Da treffen Neuzeit und Frühgeschichte aufeinander: Vietnams größtes Wasserkraftwerk, ein Präsent der Sowjets, versorgt weite Teile des Landes mit Strom; unweit des Stausees liegen Höhlen, in denen Spuren des „Hoa-Binh-Menschen“ aus der Jungsteinzeit gefunden wurden. Ausflüge in die nahen Dörfer Ban Dam und Giang erlauben Einblicke in das Alltagsleben der Muong-Minderheit. (D 5)

Hoi An (25 000 Ew.) In dem 30 km südlich von Da Nang gelegenen Weberstädtchen scheint jene Zeit fortzuleben, als sich hier einer der bedeutendsten Häfen Südostasiens befand. Noch ganze Straßenzüge stammen aus

Laos

In vielen Teilen ist die Unterbringung extrem einfach, die Kategorie „Luxus“ bedeutet meist nur hohe Preise. Einfache Unterkünfte dagegen muten die Laoten den „Langnasen“ nicht zu

Louangphrabang
Phou Vao
Domaine de Phou Vao
P. O. Box 50
Tel./Fax 21 21 94
Erstes Haus der Stadt, das sich den Luxus von Aircondition, Bad und einzigem Swimmingpool Louangphrabangs (teuer) bezahlen läßt
Villa de la Princesse
Sakkarine
Tel./Fax 21 22 67
Einst Residenz, heute Hotel: 120 Jahre alter Kolonialbau mit elf im laotischen Stil renovierten Zimmern. In der Hochsaison oft ausgebucht

Vientiane
Asian Pavillon
379 Samsenthai Rd.
Tel. 21 34 30, Fax 21 34 32
Dies war das „Hotel Constallation“ in John Le Carrés Roman *„The honourable schoolboy“*. Unterkunft mittlerer Kategorie mit guter asiatischer Küche
Lane Xang Hotel
Fa Ngum
Tel. 21 41 02, Fax 21 41 08
Hoteleigener Swimmingpool, eine Tanzbar und das vorzügliche Restaurant direkt am Mekong entschädigen für die eher schlichten, aber teuren Zimmer

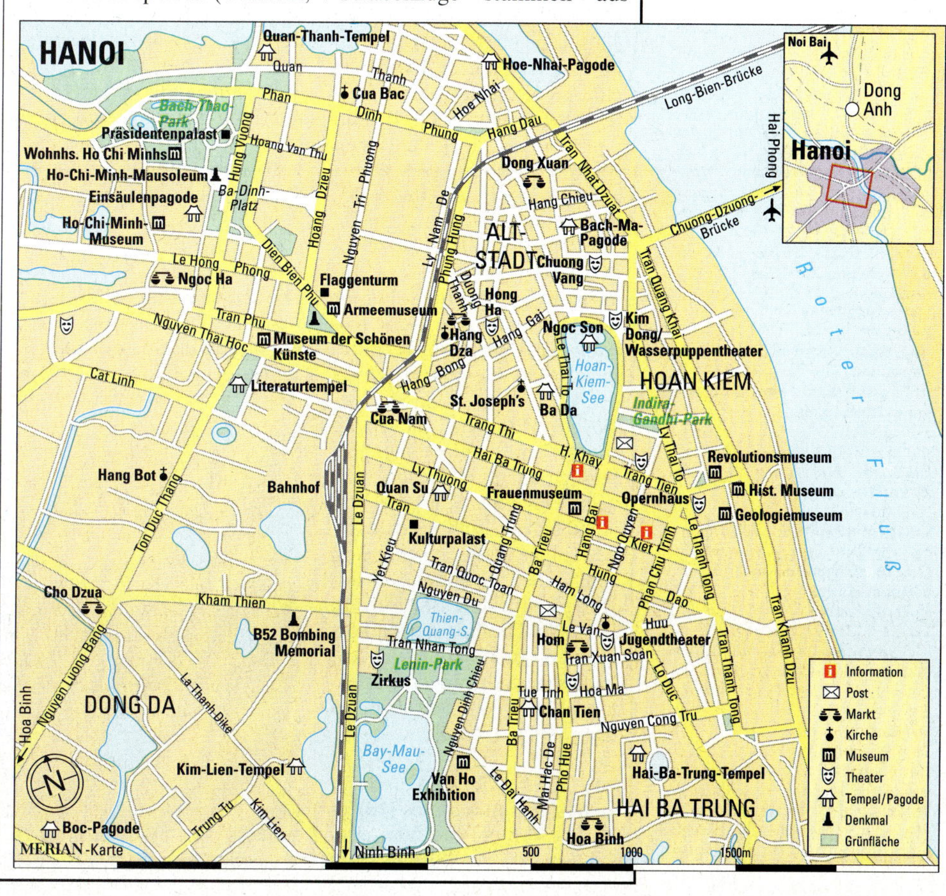

Hotels

Kambodscha

In den Zeiten der UN-Friedensmission erblühte die Hotellerie. Nach Abzug der Soldaten begann der Überlebenskampf für die Hoteliers, so daß hier weder viele Adressen noch solche mit Garantie erwähnt werden können

Phnom Penh
Cambodiana Sofitel
313 Sisowath Quay
Tel. 23-2 62 88, Fax 23-2 63 92
Das beste Hotel Kambodschas wurde 1967 von Prinz Sihanouk geplant und zwanzig Jahre später eröffnet: mit 380 Zimmern, Pool, Bar, Restaurant, Shops und noch mehr Annehmlichkeiten, die Europäer im Urlaub lieben
Le Royal
92. Straße
Tel. 23-2 62 69, Fax 2 62 68
Anfang der siebziger Jahre das bekannteste Journalistenhotel. Teile des Films *„The Killing Fields"* wurden hier gedreht. Heute ist es renoviert

Siemreap
Grand Hotel d'Angkor und Villa Apsara
Tel. 15-91 12 92, Fax 91 12 91
Das größte und legendärste Gebäude der Stadt am Beginn der Straße zu den Tempeln. Die dazugehörende Bungalow-Anlage ist recht großzügig, entsprechend sind auch die Preise

Restaurants

Vietnam

Hanoi
Cha Ca La Vong
14 Hang Cha Ca
Tel. 25 39 29
Familienrestaurant in der Altstadt. Serviert werden nur mariniertes, am Tisch auf dem Holzkohlengrill zubereitetes Fischfilet mit Gemüse und Nudeln
Indochine
16 Nam Ngu
Tel. 24 60 97
Vietnamesische Küche, gehoben in Niveau und Preis
Seafood
22a Hai Ba Trung
Tel. 25 87 59
Fisch und Meeresfrüchte dominieren auf der Speisekarte des großen, in einem Hinterhof gelegenen Restaurants

Saigon/Ho-Chi-Minh-Stadt
Tan Nam
59-61 Dong Khoi
Tel. 22 34 07
Sehr schön renoviert. Mit Innenhof, Balkon und einer großen vietnamesischen Speisekarte
Vietnam House
93 Dong Khoi
Tel. 29 16 23
Elegantes Restaurant mit traditioneller Einrichtung, spezialisiert auf die Küche Hues
Vy
164 Pasteur
Tel. 29 62 10
Ein heimgekehrter Auslandsvietnamese renovierte die Villa plus Innenhof und bietet dort sehr gute vietnamesische, chinesische und kontinentale Gerichte an

Vietnams Dornröschen: Hoi An mit der alten japanischen Brücke

dem 18./19. Jh. Besondere Beachtung verdient neben den alten Handelshäusern und Versammlungshallen die historische japanische Holzbrücke (16. Jh.) mit einer Pagode aus dem 18. Jh. (I 7)

Hue (260 000 Ew.) Huong Giang – „wohlriechender Fluß" heißt das Gewässer, das Vietnams letzte Kaiserstadt durchfließt. Dufthölzer, die an seinem Oberlauf wachsen, sollen dem Fluß den Namen gegeben haben. Sein angebliches Aroma paßt zur vielgepriesenen Schönheit Hues. Ihre Blütezeit hatte die Stadt 1802–1945, als 13 Kaiser der Nguyen-Dynastie hier residierten und ihre architektonischen Spuren hinterließen, viele sind freilich in den beiden Indochinakriegen zerstört worden. Hues Wahrzeichen steht außerhalb des Zentrums: die sieben Etagen der Thien-Mu-Pagode symbolisieren die sieben Inkarnationen Buddhas. Hinter dem Mittagstor liegt der Königspalast mit der Verbotenen Stadt. Geschützt wurde der Bezirk durch eine vorgelagerte Zitadelle, die heute weitgehend Wohngebiet ist. Südlich der Stadt liegen, weit verstreut, die Kaisergräber, jedes eine in sich geschlossene Anlage. Zu den schönsten zählt die Grabanlage des 1883 verstorbenen Kaisers Tu Duc. Neben allen architektonischen Highlights ist die kulinarische Seite Hues zu rühmen: Die Küche gilt als beste des Landes. (H/I 6)

My Lai Wie kein anderer steht der Name dieses Dorfes für die Greuel des Vietnamkriegs. Hier wurden am 16. 3. 1968 mehr als 500 Menschen, zumeist Frauen und Kinder, von GIs niedergemetzelt. In der Nähe des Reisbauerndorfs erinnert heute eine Gedenkstätte an die Massaker in der Gegend, von denen nur das von My Lai durch die Weltpresse ging. (J 7)

Nha Trang (260 000 Ew.) Die Stadt gilt als schönster Badeort des Landes, einige vergleichen die von Kokospalmen gesäumten Strände sogar mit denen der Karibik. Insbesondere Bao Dai, Vietnams letzter Kaiser, machte Nha Trang bekannt, als er in den frühen Zwanzigern eine Sommerresidenz errichten ließ. Seine fünf Villen dienen heute als Hotels. Die Stadt besitzt auch Interessantes aus vortouristischer Zeit wie die Tempelanlage Po Nagar aus dem 7. Jh. (M 7)

Ninh Binh (60 000 Ew.) Die Provinzhauptstadt eignet sich als Ausgangsort für Exkursionen in eine der interessantesten Regionen des Landes: 12 km nördlich liegen die spärlichen Reste des alten Hoa Lu, wo von 968 bis 1009 Vietnams Kaiser residierten. 28 km südlich lohnt die Kathedrale von Phat Diem einen Besuch. Der von 1891 an errichtete Bau, in dem 1933 Vietnams erster Bischof geweiht wurde, vereinigt christliche und buddhistische Architektur und Symbolik. So erklingt vom Turm neben einer Glocke auch eine Trommel. (E 5/6)

Sa Pa (10 000 Ew.) In den abgelegenen Tonkinesischen Alpen bauten die französischen Kolonialherren in den zwanziger Jahren einen Höhenkurort. Einschüsse an den Häusern verraten, daß die Provinz Lao Cai 1979 auch von den Chinesen heimgesucht wurde. In friedlicher Absicht strömen heute Rucksacktouristen das Tal des Roten Flusses hinauf zum bunten Wochenendmarkt. (C 4)

Saigon / Ho-Chi-Minh-Stadt (4 Mio. Ew.) Daß der Norden den Krieg, der Süden aber den Frieden gewann, spürt man am besten in der quirligen Wirtschaftsmetropole, die seit 1975 offiziell ihren neuen Namen trägt. Saigon besitzt keinen alten Kern; erst im 19. Jh. wuchs hier eine Ansammlung von Dörfern und Marktflecken zusammen. 1859 wurde der Ort von den Franzosen besetzt, die ihn 1883 zur Hauptstadt ihres Protektorats Cochinchina machten. 1954 bis 75 war Saigon Sitz der Regierung Südvietnams. Flaniermeile der Stadt ist die Dong Khoi. Hier stehen das berühmte Hotel Continental, in dem Somerset Maugham

Tropisches Seebad: Nha Trang hat fünf Kilometer feinsten Sandstrand

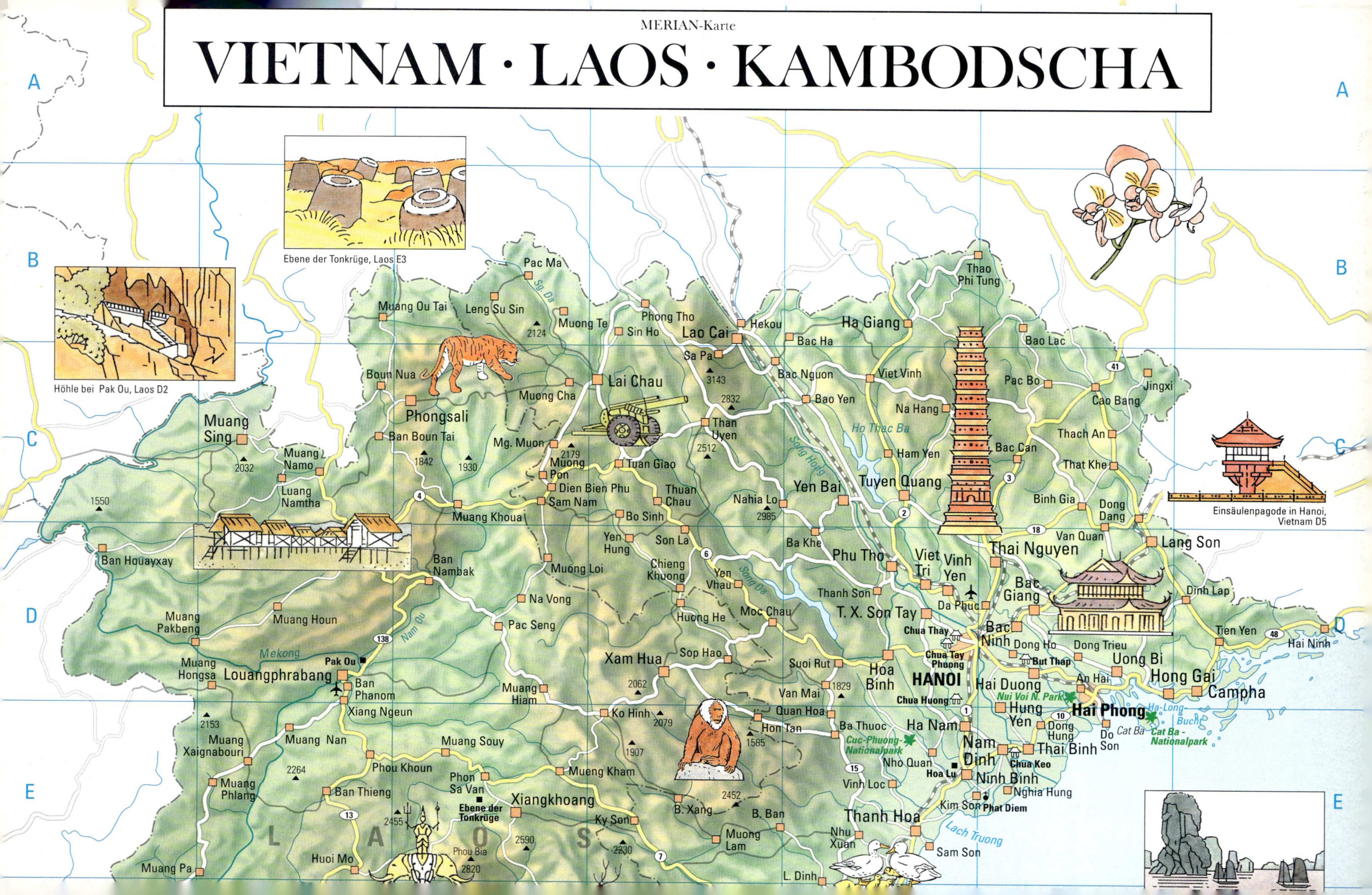

MERIAN-Karte
VIETNAM · LAOS · KAMBODSCHA
Ebene der Tonkrüge, Laos E3
Höhle bei Pak Ou, Laos D2
Einsäulenpagode in Hanoi, Vietnam D5
Pac Ma
Sg. Da
Muang Ou Tai
Leng Su Sin
2124
Muong Te
Phong Tho
Sin Ho
Lao Cai
Hekou
Ha Giang
Thao
Phi Tung
Bac Ha
Bao Lac
Sa Pa
3143
Boun Nua
Lai Chau
Bac Nguon
Viet Vinh
Pac Bo
Jingxi
2832
Bao Yen
41
Muong Cha
Na Hang
Cao Bang
Phongsali
Than
Uyen
Ho Thac Ba
Thach An
Muang
Sing
Ban Boun Tai
Mg. Muon
2179
2512
Ham Yen
Bac Can
2032
Muang
Namo
1842
1930
Muong
Pon
Tuan Giao
Song Hong
That Khe
Luang
Namtha
Dien Bien Phu
Thuan
Chau
Yen Bai
Tuyen Quang
3
1550
4
Sam Nam
Nahia Lo
2985
Binh Gia
Dong
Dang
Muang Khoua
Bo Sinh
2
18
Van Quan
Yen
Hung
Son La
Ba Khe
Lang Son
Ban Houayxay
6
Phu Tho
Viet
Tri
Vinh
Yen
Thai Nguyen
Ban
Nambak
Muong Loi
Chieng
Khuong
Yen
Vhau
Song Da
Bac
Giang
Dinh Lap
Thanh Son
Da Phuc
Na Vong
Huong He
Moc Chau
T. X. Son Tay
Muang
Pakbeng
Muang Houn
Pac Seng
Chua Thay
Bac
Ninh
Dong Ho
Dong Trieu
Tien Yen
48
Hai Ninh
Nam Ou
138
Chua Tay
Phuong
Mekong
Pak Ou
Xam Hua
Sop Hao
Suoi Rut
Hoa
Binh
HANOI
But Thap
Uong Bi
Muang
Hongsa
Louangphrabang
An Hai
Hong Gai
Campha
Ban
Phanom
Muang
Hiam
2062
Van Mai
1829
Hai Duong
Chua Huong
Nui Voi N. Park
Hung
Yen
Hai Phong
Ha-Long-
Bucht
Xiang Ngeun
Ko Hinh
2079
Quan Hoa
1
10
2153
Hon Tan
Ba Thuoc
Ha Nam
Dong
Hung
Do
Son
Cat Ba
Cat Ba -
Nationalpark
Muang
Xaignabouri
Muang Nan
Muang Souy
1907
1585
Cuc-Phuong-
Nationalpark
Nam
Dinh
Thai Binh
2264
Phou Khoun
Mueng Kham
Nho Quan
Chua Keo
Muang
Phlang
Phon
Sa Van
15
Hoa Lu
Ninh Binh
Ban Thieng
Ebene der
Tonkrüge
Xiangkhoang
2452
Vinh Loc
Nghia Hung
2455
13
B. Xang
B. Ban
Kim Son
Phat Diem
Ky Son
Thanh Hoa
L A O S
2590
Muong
Lam
Nhu
Xuan
Lach Truong
Huoi Mo
Phou Bia
2820
2230
7
Sam Son
Muang Pa
L. Dinh
A
B
C
D
E

dem 12. Jh., Tu Dao Hanh, benannt: einem Meister des Wasserpuppenspiels.
Chua Tay Phuong
42 km westlich von Hanoi
Typische Pagode im klassischen *tam-quan*-Stil des 17. Jh. mit wertvollen Figuren, von denen Kopien im Museum für Schöne Künste in Hanoi stehen
Kathedrale von Phat Diem
120 km südöstlich von Hanoi, 28 km südlich von Ninh Binh: Der Kompromiß aus christlicher, buddhistischer, französischer und vietnamesischer Architektur ist eines der kuriosesten Kirchenhäuser Vietnams. Das Dach ist mit sechs Pagodentürmen gekrönt

Hue
Thien-Mu- (o. Linh-Mu-)Pagode
5 km westlich der Stadt auf einem Hügel am Ufer des „Flusses der Wohlgerüche"
Achteckige Pagode aus dem 19. Jh. mit typischem buddhistischen Tempel. Siehe S. 136

My Son
Tempelstadt der Cham-Könige
knapp 70 km südwestlich von Da Nang, ca. 20 km westlich der Nationalstraße 1
Reine Cham-Architektur, die die Entwicklung der Cham-Kunst durch Jahrhunderte dokumentiert. Siehe S. 140

Nha Trang
Po Nagar
Nördliche Stadtgrenze, direkt an der Hauptstraße
Auf einem Hügel errichtete Cham-Tempelanlage (7.–12. Jh.); von den einstmals etwa zehn Steinbauten sind vier erhalten

Phan Rang
Po Klaung Garai
Knapp 10 km westlich an der N 20 in Richtung Da Lat
Gut restauriertes Turmheiligtum aus dem 13. Jahrhundert, in dem die Cham traditionell ihr Neujahrsfest feiern

Saigon/Ho-Chi-Minh-Stadt
Chua Giac Lam
118 Lac Long Quan
Eine der ältesten und schönsten buddhistischen Pagoden des Südens mit zahlreichen holzgeschnitzten Statuen
Chua Ngoc Hoang
73 Mai Thi Luu
Kleiner, mit zahllosen Figuren bestückter Tempel, der dem Jadekaiser, der höchsten Gottheit des Taoismus, geweiht ist
Chua Thien Hau
710 Nguyen Trai
Sie gilt als die älteste Pagode Cholons im chinesischen Stil und ist der Schutzpatronin der Fischer und Seefahrer geweiht

Tay Ninh
Cao-Dai-Tempel
95 km nordwestlich von Saigon
Auf einem riesigen, außerhalb Tay Ninhs gelegenen Gelände thront der Dom der buntesten Sekte Vietnams. Tgl. 6, 12, 18 und 24 Uhr Zeremonie. Siehe S. 14

geplant. Doch die laotischen Verhältnisse trieben den Provinzfürsten 1974 ins französische Exil und verhinderten die Vollendung des Baus. Eine Nutzung durch das örtliche Parteikomitee verbaten sich die sparsamen Genossen aus Vientiane. Ausländisches Kapital verhalf der Metropole des Südens zu ihrer Nobelherberge und größten Sehenswürdigkeit. Pakxe eignet sich als Basis für Exkursionen zum landschaftlich reizvollen Boloven-Plateau. Im milden Klima der Hochebene gedeihen Kaffee, Gemüse und Kardamom. (I 4)

Phon Sa Van (6000 Ew.) Wie die Statuen auf den Osterinseln geben hier die Tonkrüge Rätsel auf, die über das Hochplateau Thai Hai Hin („Ebene der Tonkrüge") 12 km südlich von Phon Sa Van wie von Riesenhand einzeln, in Gruppen und mehr oder weniger gleichmäßigen Abständen verstreut sind. Alter und Zweck der Gefäße liegen im dunkeln. Vermutet wird u. a., daß sie als Vorratsbehälter für Reis oder als Urnen für verstorbene Fürsten dienten. Sie überstanden sogar zum größten Teil die verheerenden Flächenbombardements der Amerikaner während des Krieges. Anders die Tempelanlagen der alten Provinzhauptstadt Xiangkhoang, 30 km südöstlich, von denen heute nur noch spärliche Reste vorhanden sind. Der völlig zerstörte Ort unweit des Phou Bia, dem mit 2820 m höchsten Berg des Landes, wurde von 1975 an wiederaufgebaut. Östlich von Phon Sa Van bei Muang Kham sprudeln heiße Quellen. (E 3)

Vientiane: der frühere Königs- und heutige Präsidentenpalast

Savannakhet (40 000 Ew.) Die viertgrößte Stadt des Landes heißt auf älteren Karten Khanthabouri. Mit einer Autofähre kann man sie auch von Thailand aus erreichen. Nahe des Anlegers ist ein hölzerner Schrein dem hiesigen Schutzgeist gewidmet. Wichtigster Tempel: der reich mit Ornamenten versehene That Ing Hang nordöstlich der Stadt. Seine Schatzkammer birgt eine Sammlung wertvoller Buddhastatuen. Der Zugang ist jedoch aus religiösen Gründen ausschließlich Männern vorbehalten. In der Stadt mit dem schachbrettartigen Grundriß gibt es noch zahlreiche Bauten aus der Kolonialzeit. (H 4)

Siphandone Im äußersten Süden von Laos verbreitert sich der Mekong und umarmt „Siphandone" (= 4000 Inseln). Gleich hinter dem Archipel gibt der Fluß mit dem mächtigsten Wasserfall seines langen Laufs dem Land eine grandiose Abschiedsvorstellung und hindert die Schiffe an der Weiterfahrt. Pläne zur Beseitigung der Barriere hegten schon 1866 die Franzosen. Eine Sprengung der Katarakte gegen den Willen der Einheimischen kam jedoch nicht in Frage. So umging man das Hindernis mit einer 5 km langen Eisenbahnstrecke – der einzigen, die es in Laos je gegeben hat. (J 4)

Handfeste Religionspflege: Mönche im Mahathat, Louangphrabang

Vientiane/Viangchan (400 000 Ew.) Eine der dörflichsten Hauptstädte Asiens ist auf dem Weg in die Moderne: Fußgänger, denen noch bis vor kurzem die Alleen gehörten, müssen sich vor immer mehr knatternden Vehikeln in acht nehmen. Die Zahl der Läden in der Einkaufsmeile Samsenthai wächst, ebenso die der Banken an der Lane Xang Avenue. Die Prachtstraße beginnt beim Präsidentenpalast, in der Nachbarschaft des Wat Phra Keo. Der 1565 gegründete Tempel beherbergte einst den berühmten Smaragd-Buddha, der sich heute in Bangkok befindet. Mehrmals eroberten die Siamesen die 1563 zur Residenz erhobene Stadt, zuletzt 1827. Dabei wurden die Pagoden fast ausnahmslos zerstört. Wat Sisaket (1824), heute Museum wie Wat Phra Keo, blieb jedoch verschont. Blickfang am Ende der Lane Xang Avenue ist Anousavari, eine laotische Version des Arc de Triomphe (Aussichtsplattform). Von hier führt die Straße That Luang zur gleichnamigen Stupa, dem Nationalheiligtum, das im Staatswappen abgebildet ist. Seit 1994 verbindet die von Australien finanzierte „Brücke der Freundschaft" Vientiane mit dem thailändischen Nong Khai jenseits des Mekong. (F 2/3)

Majestätische Landschaft: Blick auf das Mekongtal in der Nähe der Wallfahrtsstätte Pac Ou

Bergvölkern angebaut, gehandelt und konsumiert wird und über Dealerkanäle in alle Welt gelangt. Zwischen Ban Houayxay und dem thailändischen Chiang Khong pendeln Fähren auf der Handelsroute, die schon vor Jahrhunderten China mit Siam verband. Einen guten Blick über den Ort und den Menam Kohng („Mutter aller Wasser") , wie der Mekong in Laos heißt, hat man vom Bergtempel Wat Chom Khao Manirath. (D 1)

Champasak (35 000 Ew.) Der Name der Stadt erinnert an das Volk der Cham, die auf dem Gebiet des heutigen Laos um 500 n. Chr. von den Khmer unterworfen wurden. Damals, lange vor Angkor Wat, entstanden die ersten Bauten von Vat Phu. Die weiträumige Ruinenstadt nahe Champasak zählt nach ihrer Wiederentdeckung im Jahr 1866 zu den bedeutendsten archäologischen Stätten des Landes. Alljährlich im Februar reisen Pilger von weither zum buddhistischen Fest in der ehemaligen Tempelanlage. (J 4)

Louangphrabang
(30 000 Ew.) Was Hue für Vietnam, ist Louangphrabang für Laos: Stadt der Klöster und Tempel, alte Residenz – und allemal reizvoller als die Kapitale. 1353 wurde der Ort am Zusammenfluß von Mekong und Nam Khan Hauptstadt von Lane Xang, des „Reiches der eine Million Elefanten". 1975 mußte der letzte laotische Monarch aus dem Palast aus- und später in ein Lager umziehen. Heute beherbergt der Bau ein Museum. In seiner Umgebung finden sich einige der prächtigsten Tempel des Landes, darunter die Tempelanlage Wat Xieng Thong (1560). 328 Stufen führen den Hügel Phou Si hinauf. Oben gibt es eine Pagode und einen herrlichen Rundblick. 4 km östlich lohnt das Weberdorf Ban Phanom einen Besuch, wo einzigartige Baumwoll- und Seidentextilien hergestellt und verkauft werden. Bootstouren führen flußaufwärts nach Pak Ou. In den dortigen Höhlen stehen Unmengen von Buddhafiguren (zum größten Teil wurden sie von Gläubigen gestiftet), einige schon seit Jahrhunderten. (D 2)

Muang Khammouan
Noch döst der auch Thakhek genannte Ort einer umtriebigen Zukunft entgegen. Die Tiger sind auf dem Sprung: thailändische Investoren wollen die Straße Nr. 12 nach Vietnam ausbauen. Außerdem soll ein Staudamm den Mekong in den Dienst der Stromerzeugung stellen. Noch interessiert vor allem die Umgebung: That Sikhottabong im Süden zählt zu den wichtigsten buddhistischen Wallfahrtsorten, und die von unbekannten Baumeistern in grauer Vorzeit aufgetürmte „Riesenmauer" nördlich der Stadt zu den größten Mysterien des Landes. (G 4)

Muang Xepon (5000 Ew.) In den Bergen der Provinz Savannakhet, wo die vietnamesische Küste näher ist als der Mekong, wechselte der Ho-Chi-Minh-Pfad auf laotisches Territorium. Tragische Konsequenz: Allein auf dieses Grenzgebiet hagelten etwa 2 Mio. Tonnen Bomben. Besonders hart traf es die Dörfer um Muang Xepon an der Straße Nr. 9, was an den vielen Behelfsbauten und dem noch allgegenwärtigen Kriegsschrott zu sehen ist. Ausgangsort für Ausflüge in das ehemalige Kampfgebiet ist die Provinzhauptstadt Savannakhet. (H 5)

Pakxe (30 000 Ew.) Herrschaftlicher kann man in Laos kaum wohnen: Das erste Haus am Platz war ursprünglich als Residenz des Prinzen Boun Oum von Champasak

Tempel, Pagoden Kirchen

Vietnam

Hanoi
Chua Mot Cot (Einsäulenpagode)
unmittelbar hinter dem Ho-Chi-Minh-Mausoleum
3×3 Meter kleine, auf einer einzigen Säule im Teich stehende Holzpagode. 1049 von König Ly Thai Tong aus Dank für die Geburt eines Sohnes errichtet
Van Mieu (Literaturtempel)
Quoc Tu Giam
Großer, 1070 gegründeter Tempel zu Ehren des Konfuzius, in dem Beamtenprüfungen abgehalten wurden. Sehenswerte Steinstelen auf Rücken von Schildkröten mit den Namen der erfolgreichsten Kandidaten. Schöne Tore

Außerhalb Hanois
Chua But Thap
25 km östlich von Hanoi, nahe dem Dorf Dinh To
Gut restaurierte Pagode des *tamquan*-Stils aus dem 17. Jh. Ein Auftragswerk der Kaiserfamilie mit der vermutlich schönsten Tempelstatue Vietnams, einer tausendarmigen Quan Am
Chua Huong
60 km südlich von Hanoi
Ein Komplex von Pagoden, Tempeln und Schreinen, der in Höhlen und Felsvorsprünge eingebaut ist. Alljährlich pilgern Tausende per Boot und zu Fuß hierher
Chua Keo
90 km südöstlich von Hanoi, 9 km westlich von Thai Binh im Dorf Vu Nghia
Eine der schönsten Pagoden Vietnams inmitten einer Anlage aus künstlichen Teichen, Gärten und alten Bäumen
Chua Thay
32 km westlich von Hanoi
Schöne Lage an einem See, auf dem es eine Spielstätte für Wasserpuppen-Theater gibt. Die Pagode ist nach einem Mönch aus

Ha-Long-Bucht, Vietnam D/E6/7

Strand bei Nha Trang, Vietnam M7

Dynast. Urnen, Kaiserpalast in Hue, Vietnam H/I6

Wat Xieng Khuan bei Vientiane, Laos F2

KAMBODSCHA
Südchinesisches Meer
Mekong-Delta
PHNOM PENH
SAIGON/HO-CHI-MINH-STADT
Siemreap
Angkor
Batdambang
Pailin
Phumi Kdol Kraom
Phumi Taek Sok
Moung Roessei
Tuol Kruos
Leach
Pouthisat
Tonle Sap
Stoung
Phumi Sala Vichey
Kampong Thum
Ruinen von Sambor
Phumi Pring
Phumi Thalabarivat
Stoeng Treng
Sangkum Andet
Phumi Kampong Trabek
Phumi Ponley
Phumi Khley
Sre Sbov
Chuor Phnum Kravanh
Krong Kaoh Kong
Kaoh Kong
Phumi Choam Sla
Phumi Phsa Romeas
Kampong Chhnang
Preh Khmer
Skon
Phumi Peng Meas
Kracheh
Mekong
Kampong Cham
Phumi Damnak
Odongk
Phumi Chhlong
Snuol
Phumi Suong
Phumi Krek
Prey Veng
Xa Mat
Tay Ninh
Phumi Boeng Preav
Kampong Spoe
Killing Fields
Phumi Del Lo
Chimeal
Chak Kampong Saom
Kaoh Rung
Kaoh Rung Samloem
Sihanoukville/Kampong Saom
Phumi Veal Renh
Phumi Chuk
Phumi Khna
Phumi Prek Thmei
Takeo
Phumi Prek Khsay
Suay Rieng
Kampot
Tani
Kampong Trach
Ha Tien
Kaoh Thmei
Dao Phu Quoc
Duong Dong
Kaoh Tang
Kien Luong
Vinh Cay Duong
Chau Doc
Hong Ngu
Tri Ton
Cai Dau
Cao Lanh
Tien Giang
Hau Giang
Long Xuyen
Sa Dec
Thot Not
Rach Gia
Tan Hiep
Can Tho
Vinh Long
Vi Thanh
Ap Luc
Tra On
Tra Vinh
Phung Hiep
Soc Trang
Phuoc Long
Ca Mau
Gia Rai
Minh Hai
Ba Dong
Ba Tri
Hon Rai
Quan Dao Nam Du
Hon Tho Chu
Cua Song Bay Hap
Ngoc Hien
Con Dao
Cu Chi
Dau Thieng
Trang Bang
Chon Thanh
Phu Hung
Thu Dau Mot
Bien Hoa
Tan An
Can Duoc
My Tho
Ben Tre
Go Cong Dong
Vung Tau
Vinh Pham Thiey
La Gi
Tan Minh
Xuan Loc
Tan Phu
Dong Phu
Duc Lieu
Bu Dango
Tanh Hoa
Phumi Leu
Senmonorom
Rang
Phumi Klang Khval
Dac Song
Dak Mil
Dak Nong
Cat Tien Nat. Park
Bao Loc
Ma Mre
Ma Da Gui
Tanh Linh
Ham Thuan Nam
Di Linh
Duc Trong
Don Duong
To Lanh
Lac Duong
Da Lat
Lac
Song Luy
Bac Binh
Phan Thiet
Van Lan
Tuy Phong
Phan Rang/Thap Cham
Ca Na
Nha Trang
Ninh Hoa
Duc Myo
Vanh Ninh
M Drac
Tuy Hoa
Tay Son
La Hai
Chi Thanh
Song Cau
B. E. Klop
Krong Buk
Buon Ma Thuot
Ban Don
Ea Sup
Ea Hleo
Cheo Reo
Chu Se
Chu Prong
Play Ku
Chu Pha
Mang Yang
An Khe
Kano Nak
Ta Uan Xe
Tay Son Giang Trung
Van Canh
Quy Nhon
Binh Dinh
Phu Cat
Diem Tieu
Vinh Kim
Hoai Nhon
Thach Tru
Song Ba
Ia Krang Poc
Tonle Kong
Tonle Srepok
1761
1079
785
732
1318
1215
1078
2405
1580
1465
1864
1545
1731
687
1771
1549
1717
335
1073
716
K
L
M
N
O
1
2
3
4
5
6
7

Nachtleben

Vietnam

Hanoi
Piano Bar
17 Trang Tien
Tel. 25 06 25
Unweit des Hoan-Kiem-Sees gibt sich das koloniale Frankreich in einem schön renovierten Altbau die Ehre. Jazzige Live-Musik, gelegentlich greift der Manager selbst zum Mikrofon
The Queen Bee
42 Lang Ha
Tel. 35 26 12
Disko mit Live-Band, großer Tanzfläche und Karaoke-Räumen
Volvo Night Club
im Hanoi Hotel
D8 Giang Vo
Tel. 25 46 03
Moderne und teure Diskothek mit privaten Karaoke-Räumen im neuen Botschaftsviertel

Saigon/Ho-Chi-Minh-Stadt
Down Under
im Saigon Floating Hotel am Saigon-Fluß
Tel. 29 07 83
Für Ausländer, die gern unter der Wasseroberfläche tanzen
Gartenstadt
34 Dong Khoi
Tel. 22 36 23
Wer es ohne Dortmunder Bier und Deutsch-Schweizer Küche nicht aushält: der teutonische Beitrag zur Saigoner Nachtkultur
Hammock
Tel. 29 14 68
Ein altes Holzschiff am Kai des Saigon-Flusses unweit des Majestic-Hotels. Innen eine Mischung aus Kneipe, Bar und Restaurant
Q Bar
7 Lam Son Platz
Tel. 29 12 99
Originell dekorierte Kneipe im Seitengebäude der ehemaligen Oper
Starlight Night Club
im Century Hotel
68a Nguyen Hue
Tel. 23 18 18
Bekannt für nostalgische Nächte mit Musik der sechziger und siebziger Jahre
Superstar
431/2a Hoang Van Thu
Tel. 44 02 42
Riesige, moderne Disko mit neuestem Equipment und dazu passender Musik

Chinas Kulturerbe: Thien Hau, eine der alten Pagoden Saigons

und Graham Greene abstiegen, sowie die 1883 geweihte Kathedrale Notre Dame. Das Rathaus am Bvd. Nguyen Hue entstand 1901–08 in einer Art „Zuckerbäckerstil“. Das Chinesenviertel Cholon lohnt einen Besuch – nicht wegen der eher heruntergekommenen Architektur, sondern wegen seiner Geschäftigkeit in den vielen kleinen Teestuben, Restaurants, Läden. Am lebhaftesten ist das Viertel rund um die Markthalle Cho Binh Tay. Ebenfalls sehenswert: Nha Rong („Drachenhaus“, 1862, heute Ho-Chi-Minh-Museum), von wo der junge Ho Chi Minh im Jahr 1911 als Schiffsjunge nach Übersee startete. Saigons vermutlich älteste Pagode ist die 1744 gegründete Chua Giac Lam nördlich von Cholon. (M 4)

Tay Ninh (26 000 Ew.) Nahe der kambodschanischen Grenze ließ sich im Jahr 1926 die neugegründete Sekte Cao Dai nieder, deren Ideologie so bunt ist wie ihr Heiligtum. Im Caodaismus mischen sich Christentum, Taoismus, Konfuzianismus, Hinduismus, Islam und Buddhismus. „Heilige“ sind u. a. Victor Hugo und der chinesische Staatsgründer Sun Yat-sen. Die Hierarchie der Sekte orientiert sich an der katholischen Kirche. Die architektonischen Vorbilder des großen Cao-Dai-Tempels waren Kathedralen und Pagoden, die knallbunte Ausstattung erinnert an ein Wachsfigurenkabinett. Ein Besuch dieses Wallfahrtsorts ist auch für „Ungläubige“ ein Erlebnis. An den Zeremonien darf ein jeder teilnehmen, sie finden viermal täglich statt um 6, 12, 18 und 24 Uhr. (M 4)

Vinh (150 000 Ew.) Das Hauptinteresse der hier übernachtenden Touristen gilt weniger der mit DDR-Hilfe wiederaufgebauten Industrie- und Hafenstadt als dem 14 km nordwestlich gelegenen Dorf Kim Lien. Hier verbrachte Ho Chi Minh seine ersten Lebensjahre. Das einfache Wohnhaus der Familie kann besichtigt werden. Außerdem gibt es ein kleines Museum. (F 5)

Vung Tau (135 000 Ew.) Cap Saint Jacques nannten die Franzosen den Küstenort vor der Haustür Saigons (125 km). Sie machten Vung Tau zum Badeort. Heute ist die Stadt mit den vier Stränden am Fuß zweier Berge das touristisch am meisten erschlossene Seebad Vietnams, Zentrum der Fischindustrie und der Erdölförderung. Es gibt einen Vergnügungspark, Dampfbäder und Massagestudios, die nicht unbedingt kassenärztlichen Vorstellungen entsprechen. Auf der Südspitze der Halbinsel breitet ein monumentaler Christus – jenem von Rio nicht unähnlich – seine segnenden Arme aus. Der herrliche Rundblick vom Leuchtturm (1910) entschädigt für den mühsamen Aufstieg. (N 4/5)

LAOS

Ban Houayxay Das Goldene Dreieck, wo Thailand, Laos und Birma (Myanmar) aneinandergrenzen, ist „Poppyland“. Poppy nennt man den Schlafmohn, die Grundsubstanz des Opiums, das hier von den einheimischen

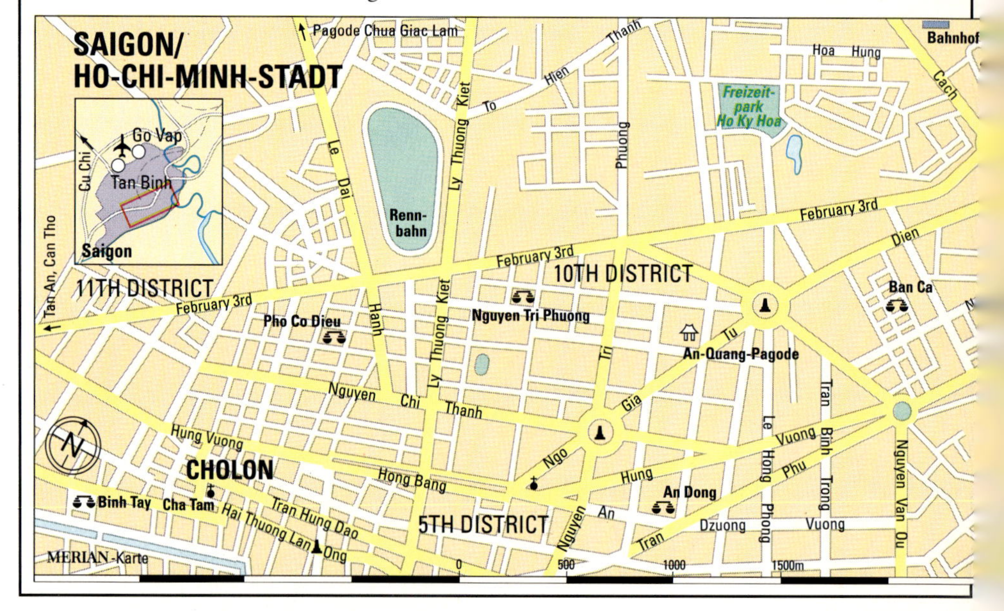

KAMBODSCHA

Angkor 1113–50, noch vor dem Zeitalter der Gotik in Europa, war das Khmer-Reich unter Suryavarman II. auf dem Gipfel seiner Macht. Damals entstand Angkor Wat, das größte religiöse Monument der Welt. Das 2 km² große Bauwerk ist dem Hindu-Gott Vishnu geweiht. Insgesamt bedeckt Angkor mehr als 200 km². Die Hauptstadt der Khmer wurde im 9. Jh. gegründet. Grundlage ihres Wohlstands war das Bewässerungssystem, das aus riesigen Staubecken gespeist wurde und drei Ernten jährlich erlaubte. Angkor Thom, die Stadt Jayavarmans VII., entstand um 1200. Mittelpunkt ist der Bayon, ein Tempel mit mehr als 200 steinernen Porträts. (J/K 2/3)

Odongk Etwa 40 km nordwestlich der neuen liegt die alte Hauptstadt. Zwischen 1618 und 1866 residierten die kambodschanischen Könige zu Füßen zweier Hügel, die noch vor Jahrzehnten mit Heiligtümern reich bestanden waren. Als Stützpunkt der Roten Khmer den Luftangriffen des Lon-Nol-Regimes und später dem Vandalismus der Pol-Pot-Soldateska ausgesetzt, wurde dieser Reichtum stark dezimiert. Geblieben sind u. a. drei Stupas mit den Urnen früherer Könige, eine Tempelruine, die Überreste einer Moschee der Cham. (L 3)

Phnom Penh (1 Mio. Ew.) Nach Jahrzehnten des Krieges und Terrors bieten weite Teile der kambodschanischen Hauptstadt immer noch ein Bild des Jammers. Verfallene Bauten säumen schlammige Straßen, die man nach Einbruch der Dunkelheit besser meidet. Doch das neue Phnom Penh boomt; Banken, Hotels und Läden schießen aus dem Boden. Das touristische Hauptinteresse gilt dem Königspalast (1866). Die Residenz König Sihanouks ist allerdings nicht öffentlich zugänglich. Zu ihr gehört eine Villa, die einst Kaiserin Eugenie bei der Eröffnung des Suezkanals als Pavillon diente. Besichtigen kann man die Silberpagode (1892). Besonders kostbar sind ein lebensgroßer Buddha aus massivem Gold und der Fußboden, den mehr als 5000 Silberplatten bedecken. Nordwestlich des Palastes gibt das Nationalmuseum Einblick in die reiche kambodschanische Kunstgeschichte. Die düsterste Geschichte des Landes zeigt das Tuol-Sleng-Museum (103./350. Straße). Während der Schreckensherrschaft der Roten Khmer war das Gebäude Lager und Folterkammer. Wer nicht bereits hier zu Tode kam, wurde 12 km südwestlich des Zentrums exekutiert. Das Mausoleum der „Killing Fields" enthält Gebeine von Opfern des Terrorregimes. (L 3)

Wiederauferstandene Monarchie: Königspalast in Phnom Penh

Prasat Banteay Chhmar In der ersten Hälfte des 9. Jh. gehörte Banteay Chhmar zu den wichtigsten Städten des Khmer-Reiches. Die Reste des Tempels stammen aus dem 12. Jh. Da der Ort in einem von den Roten Khmer kontrollierten Gebiet liegt, wird vom Besuch dringend abgeraten. Man kann sich von der Anlage auch am Bayon von Angkor Thom ein Bild machen. (J 1/2)

Prasat Preah Vihear Nicht zu verwechseln mit dem Ort Preah Vihear, liegt die Tempelstadt im (unbefriedeten) äußersten Norden, dicht an der Grenze zu Thailand. Sie ist nur von dort aus zu erreichen. Der Ursprung des Shiva geweihten Heiligtums liegt im 9/10. Jh., vollendet wurde es unter dem Erbauer von Angkor Wat, Suryavarman II. Es zählt zu den größten Tempelanlagen Kambodschas. (J 3)

Sihanoukville/Kampong Saom (60 000 Ew.) Neben Angkor und Phnom Penh ist Sihanoukville Kambodschas dritter touristischer Hauptort. 1964 begründete der Namensgeber mit der Eröffnung eines Hotels den Aufschwung des Badeortes. Seit Sihanoukville nicht nur über den gefährlichen Landweg, sondern auch per Flug zu erreichen ist, soll es Vorzeigeseebad werden. (M 1)

Leben mit dem Mekong: Zur Regenzeit braucht man hier ein Boot

Strände

Vietnam

Ca Na
31 km südlich von Phan Rang
Wo die Nationalstraße 1 direkt am Meer entlangläuft und auf der Landseite sich nur noch Dünen ausbreiten, sollte man halten: ein bescheidenes Café, ein Fischerdorf, Meer, Sand – mehr gibt es hier nicht

China Beach
Da Nang
Schöner weißer Sandstrand mit Wellengang unweit der Marmorberge, an dem sich einst die GIs vom Krieg erholten

Lang Co
Landzunge nördlich von Da Nang, hinter dem Wolkenpaß
Ein kilometerlanger, leuchtender Sandstrand an einsamer Bucht. Achtung, Strömungen!

Nha Trang
Sauberer Stadtstrand mit etlichen Cafés unter Palmen und Flamboyantbäumen

Phu Quoc
50 km westlich von Ha Tien im Golf von Thailand
An der dem offenen Meer zugewandten Westseite der größten Insel Vietnams findet man unberührte Strände. Nur wenige Unterkünfte

Vung Tau
125 km südöstlich von Saigon
Schon die Franzosen badeten hier und nannten ihre asiatische Sommerfrische Cap Saint Jacques. Nicht sehr schön, da heute auch Ölhafen, doch sehr gut erschlossen. Das wegen seiner Massagesalons und Videoshops zu sehr gescholtene „Sündenbabel" Saigons ist am Wochenende und in der Hochsaison überfüllt

Kambodscha

Sokha Strand
Im Süden von Sihanoukville touristisch gut erschlossener Strand mit feinem weißen Sand. Restaurants, Bungalows, Händler, ein bescheidenes Nachtleben und nur wenige Ausländer

Naturschutzparks

Vietnam

Cat Ba
Insel in der Ha-Long-Bucht, ca. 25 km östlich von Hai Phong
Von dort Fährverkehr
Subtropische Vegetation auf Karstgestein mit steilen Klippen und Höhlen. Strände, Riffe, Sümpfe, Frischwassermarschen, aber auch Tiere wie Luchse, Hirsche, Gibbons und zahlreiche Vogelarten siehe S. 138

Cuc Phuong
Rund 100 km südlich von Hanoi (N1) westlich von Ninh Binh. Einfache Unterkünfte mit Verpflegung im Gästetrakt, Pfahlhaus oder in Zelten vorhanden.
Selbständige Exkursionen möglich auf den zehn Wanderpfaden, wenn zeitlich machbar, führt der Dresdner Tierforscher Tilo Nadler Besucher durch das neue Primate Rescue Center (Affen-Auffangstation) siehe S. 96

Belaga River in Sarawak: Schlammig-gelb windet sich der Fluß durch den Regenwald

Singapur und Malaysia: In den beiden Ländern an der Straße von Malakka überschneiden sich die Kulturen Asiens: junge Malaiinnen in Schuluniformen und Kopftüchern segeln auf ihren Fahrrädern vorbei, chinesische Businessleute wickeln mit dem Handy Börsengeschäfte ab, indische Sadhus lesen die Zukunft aus der Hand. Eine charmante Mischung, und eine äußerst dynamische dazu: Die Wirtschaft der Region wächst drei- bis viermal so schnell wie die Europas. Karin Deckenbach beschreibt das Potential, aber auch die Probleme dieser multikulturellen Ecke Südostasiens. Michaela Haas porträtiert den Tänzer Ramli Ibrahim, den Vorreiter einer neuen malaysischen Kultur. Florian Hanig beleuchtet ein spannendes soziales und ökologisches Experiment, den Stadtstadt Singapur; Oliver Lehmann und Christoph Engel (Fotos) besuchen noch mal die Schule – in einem der härtesten und besten Bildungssysteme der Welt. Die berühmte englische Fotografin Tessa Traeger inszeniert die Pracht tropischer Früchte, und Andreas Altmann folgt den Spuren von Charles Brooke, dem König der Kopfjäger von Sarawak. Dazu: viele Tips, Adressen und Karten für unterwegs.

01480
9 783774 295100

Die letzten vier Hefte:
Australien
USA: Der Südwesten
Bodensee
Tunesien

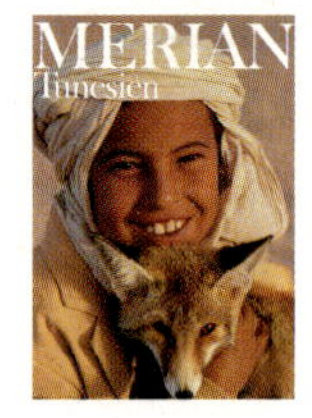

Die folgenden Hefte:

MERIAN
Jerusalem
Salzburg und das Salzburger Land
Chile und Patagonien
Leipzig
Italien: Emilia Romagna

Impressum

MERIAN – das Monatsheft der Städte und Landschaften

Herausgeber: Manfred Bissinger, Dr. Will Keller

Chefredakteur: Volker Skierka

Stellvertretende Chefredakteure: Dr. Erwin Brunner (Text), Christiane Gehner (Bild)

Art Direction: Dora Reale

Chef vom Dienst: Tibor M. Ridegh

Redakteurin dieser Ausgabe: Charlotte von Saurma

Redakteure: Siebo Heinken, Elisabeth Kiderlen, Ulla Plog, Charlotte von Saurma, Helga Thiessen

Layout: Heidi Kuenzer, Ina Reineke, Birgit Wiesgen

Bildredaktion: Eva M. Ohms, Hanni Rapp

Dokumentation, Kartographie: Imke Edzard, Patricia v. Ostheim (Leitung), Heidrun Seiffe, Jasmin Wolf

Verlagsleitung: Peter Rensmann

Herstellung: Gerlinde Hullmann

Anzeigenleitung: Renate Fritz

Anzeigenstruktur: Bernd Knospe

Leser-Service: Evelyn-Chr. Nagel

MERIAN erscheint monatlich im Hoffmann und Campe Verlag, Harvestehuder Weg 42, 20149 Hamburg, Postfach 13 04 44, 20139 Hamburg · Tel.: 4 41 88-0 · Telefax: 4 41 88-3 10 · Tel. Leserservice: 27 17 32 88 · Anzeigen: Jahreszeiten-Verlag GmbH, MERIAN-Anzeigenabteilung, Poßmoorweg 5, 22301 Hamburg, Tel.: 0 40/27 17-35 47, Fax: -20 76. Gültige Anzeigenpreisliste: Nr. 34 · Das vorliegende Heft September 1995 ist die 9. Nummer des 48. Jahrgangs · Keine Haftung für unverlangt eingesandte Manuskripte und Fotos · Preis im Abonnement monatlich 12,45 DM inkl. Zustellung frei Haus · Der Bezugspreis enthält 7 % Mehrwertsteuer · Kündigungen 6 Wochen zum Ende des Bezugsquartals · Postgirokonto Hamburg 299453-202 (BLZ 200 100 20) · Vereins- und Westbank AG, Hamburg, Konto-Nr. 2/16 739 (BLZ 200 300 00) · Führen in Lesemappen nur mit Genehmigung des Verlages · Printed in Germany · Satz und Litho: Alphabeta Druckformdienst GmbH, Hamburg. Druck und Verarbeitung: U. E. Sebald Druck und Verlag GmbH, Nürnberg.